「개정판」 나는 복싱선수와 결혼했다.

「개정판」 나는 복싱선수와 결혼했다.

지은이 이준길

발 행 2021년 06월 22일
        2024년 07월 22일(개정판)
펴낸이 한건희
펴낸곳 주식회사 부크크
출판사등록 2014.07.15.(제2014-16호)
주 소 서울특별시 금천구 가산디지털1로 119 SK트윈타워 A동 305호
전 화 1670-8316
이메일 info@bookk.co.kr

ISBN 979-11-410-9630-4

www.bookk.co.kr

「개정판」 나는 복싱선수와 결혼했다.

이준길

BOOKK

목차

프롤로그

이 책을 발간하는 가장 큰 목적으로 첫 번째는 석사학위 연구의 목적 달성이고, 두 번째가 나의 성취감 달성이다.

첫 번째 목표는 처음 운동선수 가족을 대상으로 논문을 준비하면서 연구 결과를 통해 운동선수 가정에 긍정적인 영향으로 이어지길 바라는 순수한 마음의 연구 목적 달성이다. 그뿐만 아니라 우리 사회에서 가족과 결혼의 긍정적 가치를 높이는 데 조금이나마 이바지하고자 하였다. 시중에 결혼에 관한 수많은 책과 정보들을 접할 수 있을 것이다. 분명히 이 책은 다른 수준 높은 책과 비교해 전달하고자 하는 정보의 수준은 현저히 낮을지도 모른다. 다만 운동선수의 가족이라는 특수한 상황과 대상으로 진행된 연구인만큼 운동선수의 가족에 관한 이야기를 볼 수 있다.

두 번째 목표는 나의 성취감이다. 대학생 시절 '인생은 사각의 링과 같다.', '4전 5기'와 같이 복싱을 우리의 삶과 비교하는 이야기들을 접하게 되면서 인생이라는 삶을 복싱으로 빗대어 풀어보고 싶다는 생각을 가지게 되었다. 비록 주제와 형식, 시기는 다르지만, 복싱이 관련된 주제로 책을 발간함으로써 나의 성취감을 달성하고자 하였다.

본론에 들어가 이 책은 복싱선수와 결혼한 아내들의 이야기이다. 이 책을 작성할 당시 미혼인 내가 어떻게 이러한 책을 쓸 수가 있는지 알려 줘야 조금이나마 책에 대한 신뢰도가 높아질 것으로 생각한다. 이 책의 바탕은 2012년 나의 석사 졸업 논문이다. 나는 상지대학교 체육학과 복싱부 출신으로 대학 졸업 이후 상지대학원 석·박사를 졸업하였다. 석·박사 모두 스포츠 사회학 전공으로 맨 처음 석사 논문 주제를 고민할 때 복싱선수의 자살 소식을 접하게 되었다. 그것도 결혼한 지 1, 2년 정도 지난 복싱선수의 자살이다. 그렇게 복싱선수 자살에 관심을 두고, 결혼하면 조금 더 안정적이며, 삶이 더욱더 소중할 것이라는 생각과 "결혼과 자살은 어떠한 관계가 있을까?"라는 의문을 품게 되었다. 이에 따라 결혼이 일찍 하고 싶었던 나는 깊은 사색의 시간을 가지며, 어떻게 하면 행복한 결혼생활을 할 수 있을까? 하는 의문과 함께 세부적인 방향을 잡아가기 시작했다.

운동선수의 결혼이 관련된 다양한 자료를 찾는 과정에서 '나는 야구선수와 결혼했다'라는 프로그램을 보게 되었다. 야구선수 아내가 이야기하는 다양한 주제와 사건들은 시청자들에게 충분한 재미를 제공하고, 대중의 관심을 끌 만했다. 야구선수 아내들처럼 복싱선수랑 결혼한 아내들의 삶이 궁금해졌고, 많은 시행착오를 겪으면서 '복싱선수 아내로 살아가기'라는 제목으로 석사 논문이 진행되었다. 복싱선수와 결혼하고 살아가는 아내의 이야기를 연구 주제로 선정한 것이다. 복싱선수 아내로 살아가는 삶의 과정에서 나타나는 다양한 사건과 경험에 주목하였다. 그것을 기록하고 분석함으로써 아내가 생각하는 결혼과 가족의 의미는 무엇이며, 운동선수 아내의 역할을 분석하였다.

이 책은 석사 졸업 이후 약 10년이라는 시간이 지나 붉어진 얼굴로 혼자 부끄러움을 감당하며 다시 논문을 쓴다는 생각으로 작업을 시작했다. 비겁한 변명으로 당시 대학원 시절, 아마추어 실업 복싱선수로 활동하면서, 운동과 공부의 병행이라는 무거운 짐을 짊어지고 석사학위를 취득하기에는 연구자로서 너무 부족했다. 고등학교 시절부터 오직 운동에만 전념하면서 글을 읽고 쓴다는 것은, 고된 훈련과 체중감량보다 더욱 어렵고 힘든 일이었다. 시간이 지난 현재도 부족한 실력으로 그 당시 연구 목적을 다시 한번 상기하며, 복싱선수 아내들의 연구 참여가 헛되지 않도록 최선을 다하였다. 이 책을 준비하는 과정에서 너무나 미흡하고 부족한 나머지 긍정적인 결과나 효과를 기대하기 어렵다는 자체적인 결론도 내렸다.

이 책을 이해하기 위해 전문적인 학식이 없더라도 충분히 읽어 갈 수 있을 것이다. 가장 먼저 가족과 결혼에 대한 이해와 복싱선수 아내가 생각하는 가족의 의미, 결혼의 의미 그리고 복싱선수 아내의 삶에서 나타나는 역할로 구성하였다. 다시 말해 한국 사회의 결혼, 가족, 역할, 스포츠 등을 가볍게 이해하고 복싱선수와 결혼한 아내들의 이야기 즉, 삶을 이야기하고자 한다.

본 내용은 각각의 사례들은 일반적으로 일어난다고 볼 수 없으며, 한 가정의 삶을 과학적 근거로 분석한 연구자의 해석이 담겨있다. 이 책을 읽는 독자들의 경험과 다를 수도 있으며, 책에 담겨있는 내용에 대한 가치적, 옳고 그름에 대한 평가는 이 책을 이해하는 데 큰 의미가 없을 것이다. 아내들이 겪는 고충과 남편들의 삶을 중립적으로 이해하길 바란다. 더불어 복싱선수 아내의 처지를 이해함으로써 나타나는 긍정적인 결과도 희망한다. 혹시 현재 직면한 문제를 해결하기 위함이라면 이 책보다는 전문가의 도움이 필요할 것이다.

가장 중요한 점은 내용을 구성하는 과정에서 젠더갈등, 성차별과 같은 논쟁을 불러일으키는 일이 없도록 최선을 다하였다. 연구 자체가 '아내'의 입장인 것과 어느 특정 성별을 대변하기 위한 것이 아니다. '부부'라는 서로의 이해를 돕기 위한 노력이 담겨있다는 점을 잊어서는 안 된다.

전체적인 내용을 간략하게 요약하면 다음과 같다.

첫째. 복싱선수 아내가 생각하는 가족의 의미는, 가족의 구성과 가족의 확장으로 볼 수 있다. 복싱선수 아내가 생각하는 가족의 구성(자녀 계획)은 경제적인 부담으로 자녀를 낳고 기르는데 어려움을 안고 있었다. 복싱선수 아내가 생각하는 가족은 부모, 형제, 친척의 의미에서 남편의 직장동료가 가족으로 확장됨을 볼 수 있다. 둘째, 복싱선수 아내가 생각하는 결혼 의미는, 결혼에 대한 환상과 현실을 볼 수 있다. 결혼의 환상은 결혼 전 누구나 꿈꾸는 행복한 결혼생활이다. 결혼의 현실은 환상과 다른 배우자, 임신과 결혼, 운동선수의 결혼, 사랑과 대화의 부재, 불규칙한 선수 생활, 직장생활의 연장전, 복싱선수의 폭력성 등과 같은 내용으로 구성되었다. 셋째. 복싱선수 아내로 살아가면서 가지게 되는 역할을 살펴보면 내조자, 치료사, 지도자, 홍보대사, 가정교사, 미래설계사, 아내의 경제활동, 부부의 성(性)생활과 같은 각각의 역할을 볼 수 있다.

마지막 부록에는 이 책의 근간으로 석사학위 논문이 과학적인 근거로 작성되었다는 것을 뒷받침하기 위해 '연구 방법'에 대한 간략한 설명을 추가하였다. 많은 시간이 흘렀지만, 다시 한번 연구에 참여해 주신 복싱선수 아내들에게 감사드리며, 행복한 가정과 건강을 진심으로 바란다. 더불어 부족함이 끝없는 내용으로 나의 욕심이 앞서 처음이자 마지막이될 수 있는 책을 발간할 수 있게 도와주신 분들에게 진심으로 감사드린다.

함께 생각해 보자

첫째, 자신이 생각하는 결혼의 의미는 무엇인가?
둘째, 자신이 생각하는 가족의 의미는 무엇인가?
셋째, 가족의 구성원으로서 남편 혹은 아내의 역할은 무엇이라고 생각하는가?

　이러한 질문을 통해 자신이 생각해 본 의미와 역할을 바탕
으로 어떠한 차이와 공감이 형성되는지 비교하며 읽어 간다
면 더욱 즐거운 시간이 될 것이다.

"결혼을 '목표', '목적' 달성이라고 생각할 수도 있다.
결혼은 '새로운 시작'이다."

PART Ⅰ. 결혼과 가족의 이해

　2019년 통계청 기준 혼인 건수는 월간 약 1만 8,000건, 연간 약 23만 9천 건이다. 매년 혼인 건수는 계속해서 줄어들고 있으며, 이혼 건수는 2017년부터 조금씩 늘어나고 있다. 결혼 나이는 남자 평균 33.37세, 여자 평균 30.59세로 시간이 지남에 따라서 평균 나이가 점차 높아지고 있는 점이다. 2023년 12월 기준으로 연간 혼인 건수는 19만 3,000건으로 나타났다. 더욱이 외국인과 혼인이 2만 건으로 국내 혼인에 대한 문제는 더욱 심각하다고 볼 수 있다. 여기서 나타나는 문제는 한국인과 결혼한 여성이 이혼 후 자국의 남성과 다시 재혼하게 되면서 한국 국적을 가지게 된다. 결국 이와 같은 사례가 늘어나게 되면서 다문화 가정의 증가와 대한민국의 정체성을 걱정해야 하는 상황이다. 더욱이 최근 경제활동을 하며 홀로 사는 1인 가구가 증가하는 상황에서 결혼과 가족에 대한 의미와 가치관도 새로운 변화를 맞이하고 있다.

사회를 비롯해 가치관의 변화와 함께 과거의 결혼은 성공의 일부로 여겨왔다. 학령기를 지나 경제활동을 시작하면서 적절한 배우자를 만나 아이를 낳아 기르는 것이 가장 평범한 삶이었을 것이다. 과거에는 적절한 나이가 되어도 결혼 못하거나 하지 않는 경우는 집안의 문제로 부모의 근심·걱정이었다. 평범하게 살아가는 데 필요한 요건 중에 '결혼'은 필수였다. 당연시되었던 결혼이 이제는 개인의 삶을 즐겁게 누리며 살아가는데 필수가 아니라는 점이다.

저출산과 인구 절감으로 인한 사회문제 해결을 결혼으로 귀결되면서 결혼에 관한 관심이 높아지고 있다. 결혼이 사회적으로 정치적인 문제로 볼 수도 있고, 개인의 선택으로 볼 수 있다. 결혼하지 않는 이유는 다양하다고 생각한다. 변화하는 사회에 수긍하는 것과 가정을 꾸려 살아가는 것도 중요하다.

나는 결혼과 가족이 갖는 긍정적인 효과를 믿고 있다. 결혼을 권유하기 위한 책은 아니지만, 사회의 가장 최소 단위가 가족이기 때문에 결혼 및 가족에 대해서 조금 더 신중하고 깊은 사색이 필요하다고 생각한다. 결혼하고 가정을 이루는 것이 절대적인 '필수'가 아니라는 점에서 결혼과 가족에 대한 새로운 시선의 접근으로 귀결되길 바란다.

다음 내용은 이 책의 전반적인 내용(결혼, 가족, 스포츠와 가족, 복싱과 가족)과 앞으로 전개될 복싱선수 아내의 삶을 이해하는 데 필요한 기본 개념들이라고 볼 수 있다.

1. 결혼

1) 결혼의 의미

남녀가 적절한 시기에 이르면 대부분 결혼을 생각한다. 결혼은 모든 사람이 경험하게 되는 사회현상이며, 더욱 안전한 인간 생활을 하기 위한 두 사람의 결합을 의미한다. 문명이 발전함에 따라서 사회가 복잡해졌어도 사회의 가장 기본단위는 가정이다. 그러므로 하나의 가정을 이루는 결혼은 인간에게 매우 중요한 의미가 있다.[1]

결혼은 본인의 자유로운 의사에 따른 남녀의 결합인 만큼 여러 가지 의의가 있다. 첫째, 결혼을 통해 두 성인 남녀, 또는 동성(同姓)은 정서적, 신체적 친밀감과 다양한 가치관을 공유한다. 즉, 인간은 결혼을 통하여 개인의 성(性)적 만족과 더불어 정서적 · 애정적 안정을 취할 수 있다.

둘째, 결혼은 서로 다른 가족 구성원이 만나 새로운 가족을 형성시키는 사회적 의의가 있다. 셋째, 인간은 결혼을 통하여 욕구의 충족과 행복의 추구를 사회적 · 문화적으로 인정받게 된다. 요컨대, 결혼이란 두 사람의 의사결정에 따른 남

---

[1] 문승연, 2002

남이 관습이나 법에 따라 승인될 뿐만 아니라 사회적으로도 인정을 받음과 동시에 그에 따른 책임을 지는 것을 의미한다.[2]

이처럼 결혼이 다양한 의미를 띠고 있지만, 여전히 지배적인 결혼 형태는 남녀 간의 부부관계라고 할 수 있다. 결혼을 남녀 간의 부부관계로 한정하여 생각한다면, 결혼 형태는 우선 배우자의 수가, 단수인가 복수인가에 따라 '단혼제(monogamy)'와 '복혼제'로 구분할 수 있다. 일부일처제는 단혼제이면, 일부다처제(polygamy)와 일처다부제(polyandry)는 복혼제이다.[3]

결혼의 형태와 의미는 시대적으로나 국가별 차이를 보인다. 이는 법, 가치, 신념, 정치, 사회 등으로 인해 결혼에 관한 의미적 해석이 다양하다는 것이다. 단순히 '결혼할 것인가?', '하지 않을 것인가'는 개인의 자유의사에 달려 있다. 이와 같은 결혼을 사회와 개인의 관점에 따라 접근도 달라야 한다. 나의 관점은 지극히 개인의 관점이다.

내가 생각하는 결혼 선택 이유는 '사랑해서', '경제적 안정을 얻기 위해서', '정서적으로 안정되기 위해서', '동반자를 가지려고', '가족과 자녀를 얻기 위해서', 그리고 '성적 충족을 얻고 보호받기 위해서', '사회의 기대 때문에' 등으로 들 수 있다. 결혼함으로써 충족되는 것들이 만족스럽게 달성되

---

[2] 김건영, 2009
[3] 비판사회학, 2015

는 것은 아니지만 대부분 사람이 결혼하는 이유는 역시 결혼
이 이러한 목적들을 이룰 수 있는 기능과 가능성을 가지고
있다고 믿기 때문이다.4)

　결혼을 결정했다면, 그 이유는 무엇인가? 결혼하는 두 사
람은 평생을 함께하리라는 생각을 가지고 서로에 대한 믿음
을 쌓아 행복한 결혼생활을 꿈꾸게 된다. 그러나 결혼에 대
한 각자의 선택 동기가 어떠한 것이냐에 따라 결혼생활은 행
복할 수도, 불행할 수도 있으며 파국을 맞이할 수도 있다.
　결혼에 대한 동기는 바람직한 동기와 그렇지 못한 동기로
나누어 볼 수 있다. 바람직하지 못한 동기는 결혼이라는 제
도를 이용한다는 것이다. 드라마에서나 나올법한 이야기들처
럼 결혼을 이용하여 개인의 이득을 취하는 상황들을 볼 흔히
볼 수 있다. 심각한 경우 사람의 목숨까지도 잃게 되는 사례

---

4) 이정덕 외, 2003

도 볼 수 있다.

결혼의 목적이 자기 행복 또는 성공 여부에 영향이 있다는 점을 바탕으로 결혼의 정의를 내리는 것이 중요하다. 앞서 언급하였듯이 보편적인 결혼을 정의하기는 어렵다. 내가 생각하는 결혼은 '육체 및 정서적인 안정을 추구하고자 하는 마음을 기반으로 교제를 통해 맺어진 상대방과의 사랑을 실현'하고자 하는 것이 아닐까. 나아가 결혼은 개인적인 의미뿐만 아니라 이를 통해 가정이라는 하나의 공동체를 형성하여 사회발전에 이바지한다는 사회적 의미도 가지게 된다.

결혼은 개인적인 측면도 중요하지만, 결혼이라는 공적인 의식을 통하여 새로운 사회적 관계의 성립을 알리며 이에 따라 사회적으로 기대되는 개인의 책임과 권리가 부여된다. 그러므로 결혼생활에서 요구되는 책임과 의무를 충실히 수행했을 때 비로소 진정한 행복을 누릴 수 있게 된다.[5]

2) 결혼 준비

나가 생각하는 결혼에 필요한 준비를 세 가지로 나누어 보았다. 첫 번째로 결혼 대상 즉, 배우자이다. 두 번째는 의식주를 해결할 수 있는 경제력과 같은 물질적인 부분이다. 세 번째는 가족이다. 결혼 여부는 개인의 의사와 물질적 조건이 충족됨에도 불구하고 가족에 의해 영향을 미치기도 한다. 마

---

[5] 김시업, 2006

지막은 '사랑'이다. 이 외에도 신뢰, 신념, 가치, 성격과 같은 부분을 점검하는 것도 중요하다.

나의 주관적 관점으로 개인이 갖추어야 할 부분을 넘어 최소한의 기준을 살펴보고자 하였다.

(1) 배우자

가장 먼저 배우자 선택은 시대와 사회변화에 따른 다양한 요인과 기준에 영향을 받으며, 인간의 주관적 감정과 객관적인 사회 기준이 작용하는 영역이다.

주관적인 측면은 자신이 정한 기준에서 결정하는 것이다. 주관적 측면에서 가장 우선시 되는 부분은 바로 좋아하는 마음이다. 나는 좋아하는 것과 사랑을 따로 구분하고자 한다. 짧게 언급하자면, 좋아하는 마음은 개인의 생각을 바탕으로 생겨나는 감정이다. '좋아한다'라는 것은 생각이 바탕이 된다면, 사랑은 개인의 생각을 벗어나 마음 감정 그 자체에서 비롯된다고 생각한다. 결혼한 사람에게 배우자가 이상형이냐고 물어보면 '아니다'라고 답하는 경우가 있다. 머리와 마음의 기준으로 좋아하는 것과 사랑하는 것을 구분하였다.

'좋아한다.' 즉, 개인의 긍정적인 호감과 관심, 애정 등이 있어야 한다. 그러한 배경으로는 성장 과정, 외모, 건강, 나이, 경제력, 성격, 직업 등이 기준이 된다. 개인의 주관이 사회에 영향을 받을 수도 있고 그렇지 않을 수도 있다. 개인의 주관 즉, 좋아하는 마음은 배우자를 결정하는데 가장 기본이

될 수 있다.

결혼 상대는 개인의 의사에 따라 자유롭게 선택할 수 있다고 생각할 수 있겠으나, 현실의 배우자 선택은 무제한의 범위에서 임의로 선택하는 것이 아니라 결혼상대자로 적격자의 범위가 개인적·사회적·문화적으로 규정되어 있다.[6]

사회적인 측면으로 지위, 종교, 지리적 인접 등의 기준으로 선택하게 되는 데 문제는 앞서 언급하였듯이 개인의 주관이 사회적 영향을 받는다는 점이다. 결혼의 적정 나이, 경제 수준, 선호하는 직업과 아파트 등 사회 기준을 바탕으로 배우자를 선택하게 된다. 더욱이 상대방과 자신을 비교하면서 그 기준의 평균은 더욱더 높아져 가고 있는 현실이다.

배우자 선택은 결혼을 이루기 위한 전 단계이자 첫 단계로서 개인의 행복뿐만 아니라 가족의 성공적 발달 여부를 결정해 주는 매우 중요한 부분이다. 그러므로 배우자 선택의 중요성을 깨닫고 자신에게 가장 적합한 선택 기준을 형성하는 것이 요구된다.[7]

나의 경험으로 미루어 보아 최소한의 기준(가치관)은 필요하다고 생각한다. 살아온 환경은 다르지만, 살아갈 환경은 같다. 함께 그리는 미래를 제시하여 서로 합리적인 결과를 도출할 수 있다면 가장 최고의 결과로 볼 수 있다. 여기에 변수는 성격인데, 서로 다른 주관이 만나기 때문에 이는 평

---

6) 서병숙. 1998
7) 김시업. 2006

생 서로 이해하고 맞추어 가야 한다. 가장 가까이에 있는 부모와의 관계를 살펴보아도, 평화를 유지하기는 쉽지 않다. 즉, 서로가 원하는 방향의 미래를 정할 수 있다면, 그 이후로는 서로의 마음을 맞추어 가는 노력으로 나아가야 할 것이다.

(2) 경제력

두 번째는 경제력이다. 현실적인 부분으로 결혼식에 필요한 비용에서부터 신혼집, 가전제품 준비 등과 같이 살림살이에 필요한 부분들이다.

구체적으로 살펴보자. 경제력이란 배우자의 직업, 또는 보유 재산이다. 결혼을 위해 필요한 최소한의 월급으로 남자는 300만 원, 여자는 200만 원이라고 한다. 하지만, 결혼 이후 여자의 경우 주거지역 변동으로 인한 직장생활에 변동이 생기고 출산으로 인해 경제활동이 어려워지게 되면서 경제적으로 불안정하게 된다. 직업과 소득에 따라 큰 차이를 보이는데 최소한으로 한 가정에서 지출해야 하는 금액이 약 300만 원 정도이다. 이는 소비만을 기준으로 하며, 금액의 차이는 있을 수 있다. 자녀의 수에 따라 추가적인 비용 또한 한계가 없다고 보아야 할 것이다.

월급 다음으로 중요한 부분이 바로 신혼집이다. 부동산 중개 사이트의 조사에 따르면 예비 신혼부부가 원하는 신혼집의 전세금은 4억 미만이며, 가장 살고 싶은 주택 유형은 아파트였다. 이와 같은 주거 공간 및 경제력은 결혼 선택 여부에 가장 밀접한 연관성을 볼 수 있다.

안정적인 직업을 가지고, 부부의 보금자리가 마련되었더라도 경제적인 부분에서 서로의 이견을 좁히지 못해 결혼을 포기하는 사례도 있다. 결혼을 가장 현실적인 부분의 경제력 문제는 단번에 해결할 수 없다는 점에서 꿈조차 꾸지 못하는 것이다. 결혼 준비를 위해 적당한 재산과 집을 마련하고 나면 너무나 많은 시간이 흘러 결국, 결혼을 포기하게 된다. 배우자의 경제력이 기준이 될 수 있지만, 개인에 따라 그 중요도와 우선순위가 다르며 전혀 고려되지 않을 수 있다. 사랑, 성향, 가치관 등을 더욱 중요하게 여기면 경제력과 같은 문제는 대화로 충분히 해결될 수 있을 것이다.

(3) 부모(가족)

결혼을 준비하면서 많은 의견충돌이 있을 수 있다. 경제적인 면과 개인의 서로 다른 기준, 그리고 부모의 의견이다. 결혼은 성숙한 성인이 결정한다고 볼 수 있다. 이성적으로 자신들의 미래를 결정하고 준비하는 과정에 가장 큰 난관으로 부모님의 허락 여부이다.

극단적이지만 과거에는 부모의 결정에 따라 배우자가 결정되기도 하고, 부모에 의해 배우자를 바꾸어야 하는 시대가 있었다. 부모가 배우자를 선택하는 시대는 벗어났다고 볼 수는 있지만, 양가 부모님께 인사를 드리는 검증의 과정이 존재한다. 부모님을 만나 뵙고 살아온 과정, 가족 관계, 직업 등을 이야기한다. 이러한 과거를 속이고 결혼하는 경우가 있는 만큼 부모에게 보이는 모습은 중요하다고 볼 수 있다.

1차 과정로 부모에게 결혼 허락을 받았다면, 2차 과정으로 본격적인 부모의 의견을 받아들이게 된다. 결국 양가 부모님의 이견을 조율하다 보면 중간에서 가장 힘들어하는 사람이 예비부부이다. 예비부부가 결정해야 하는 두 가지 대안에서 하나를 선택하는 것과 부모의 의견이 추가된 네 가지 대안에서 하나를 선택해야 한다는 것이다. 그중 두 가지는 배우자가 원할 수도 있고 원하지 않을 수도 있다.

뱃사공이 많으면 산으로 간다는 이야기가 있듯이, 예비부부의 주체적인 계획과 준비, 의지가 가장 중요하다고 생각한다. 더욱이 현실에서 부딪치고 해결해야 할 사람은 '부부'이다. 부모가 부부의 모든 문제를 해결해 줄 수 있다면 전적으로 부모에게 모든 걸 부탁하면 된다. 부모의 의견을 따르게 되면 모든 책임은 부모에게 있다는 것이 아니라 부모의 의견을 따른 부부의 책임이 있다는 점도 알아야 할 것이다.

부부가 해결하지 못할 문제, 그리고 도움을 받아야 할 상황이 되면 도움을 받을 수도 있고 요청할 수도 있다. 부모의 의견을 무시하거나, 부부의 의견이 무조건 중요한 것은 아니다. 인생의 선배이자 자식을 걱정하는 마음에서 말씀하시는 부모의 의도를 이해하고 수용할 자세가 필요하다. 자식을 위해서라면 목숨도 아끼지 않는 것이 부모라고 했다. 그러한 부모의 마음에 쏙 드는 배우자를 만난다는 것은 엄청난 행운일 것이다. 이러한 부모의 의견은 성인이 되기 전까지 충분히 이해하고 소통해야 한다. 성인이 되고 단 한 번의 인생에서 단 한 번의 선택을 주체적으로 결정하는 것이 책임감 있는 삶의 자세라고 생각한다.

(4) 사랑

마지막으로 사랑이다. 인간은 사랑하고 사랑받으려는 욕구를 지니고 태어난다고 한다. 즉, 사랑은 평생 행복감의 원천이 되며, 결혼과 가족의 속성을 결정하는 기초가 되기도 한다.[8]

결혼을 위한 배우자 선택에 있어서 사랑은 매우 중요한 비중을 차지한다. 과거 가부장제도 하에서는 부부간의 사랑은 결혼식 후 함께 생활해 가는 동안에 자연스럽게 발생하는 것이므로 결혼 전의 사랑에 대한 것은 고려하지 않았다. 사랑보다 우선시 되는 것은 대를 이어야 한다는 사명감과 결혼을 꾸려 가정을 이루는 것이 당연했던 사회였다.

현대 연애결혼이 자유로운 남녀평등 사회에서 과거와 다르지 않게 사랑이 없는 결혼도 있다고 생각한다. 사랑보다는 서로의 가치관 또는 편리함이 우선시 되거나, 혹은 사랑보다 특정한 조건과 목적에 맞추어야 하는 결혼도 많이 보았다.

사랑이라는 감정이 객관적인 기준에 밀려 이성적 사고를

---

[8] 김시업, 2006

바탕으로 결혼을 선택하는 게 현대 사회의 결혼이 아닐까? 뒤에서 다시 다루겠지만, 사랑이라는 단어가 현실에서 너무 이상적이고 비현실적으로 느껴질 수도 있다. 사랑이 의리로 변하더라도 시작은 사랑으로 해야 하지 않을까? 아직 사랑은 잘 모른다. 하지만, 사랑하고 싶고 사랑받고 싶은 인간의 마음이 있는 한 사랑 또한 존재 한다고 믿는다.

결혼을 준비하는 과정에서 개인에 따라 우선시 되고 필수 조건이 있을 수 있다. 위의 네 가지는 절대 정답을 제시하는 것이 아니며, 객관적인 기준도 아니다. 내가 결혼을 준비한다는 생각을 바탕으로 최소한으로 충족되거나 필요한 부분을 언급하였다. 그리고 결혼을 앞둔 모든 예비부부라면 한 번쯤은 생각해 보았거나 생각해 볼 만한 부분이 아닐까? 결혼 준비라는 '단계'를 넘지 못한다면 결혼은 물론이며, 결혼해서도 계속해서 둘의 관계를 위협할 것이다. 나도 이 고비(결혼 준비)를 잘 넘겨 결혼했다. 이 책을 쓴 뒤에 결혼했으니, 내가 주장하고 내가 세운 기준은 충분한 도움이 되었다고 볼 수 있다.

3) 부부의 역할

부부의 역할은 결혼이 성사됨과 동시에 부여된다고 할 수 있다. 이와 같은 역할은 한 개인이 속해 있는 집단 내에서 자신이 차지하고 있는 일정한 지위에 적합한 행동으로서, 그 적합성 여부는 사회 전체적인 규범, 관습, 법률, 문화, 제도에 의해 규정되기 때문에 시대적 가치와 환경의 변화에 따라 달라진다. 또한, 한 개인은 자신의 역할에 따라 행동에 대한 책임과 권리를 갖게 된다.[9] 우리 사회에는 어떤 역할을 해야 한다는 일종의 규범이 있으며 역할이 관련된 개념에는 역할기대, 역할수행, 역할인지, 역할평가, 역할취득과 같은 영역이 있다.[10] 따라서 서로 다른 환경에서 자란 남녀가 결혼을 통해 하나의 부부라는 단위가 되는데, 각자의 역할을 잘 수행하느냐에 따라 결혼생활이 크게 좌우될 것이다.

이 책에서는 아내의 역할을 중심으로 기술되었다. 아내와 남편의 역할은 과거 성(性)을 기준으로 여성과 남성의 역할을 나눈 것은 아니다.

현대 사회에서 요구되는 역할은 무엇인지 고민해 보아야 할 것이다. 대표적으로 경제활동이 전적으로 남편에게 있다는 점도 집안일은 아내가 전담해야 한다는 것에서 벗어나 여성이 경제활동을 하고 남성이 집안일을 하는 것은 자연스러운 현상이다. 그렇다면 역할은 어떻게 나누어야 하는가? 소득 기준이가? 신체 능력의 기준인가? 돈을 많이 벌면 집안일을 적게 하거나 힘쓰는 모든 일은 남자가 해야 하는가? 모든 역할은 부부가 결정하면 된다. 시간에 따라 해야 할 일이 있

---

9) 김시업, 2009
10) 한국외딩학회, 2010

을 것이고, 남편 또는 아내만 할 수 있는 유일한 일들도 있을 것이다. 또 함께해야 할 일 등 10분만 대화를 나누어 보면 충분히 분담될 것이다. 할 일을 나누는데 너무 많은 기준이나 득과 실을 따지지는 말자. 함께 생활하는 공간에서 누군가는 해야 할 일이고 필요한 행위기 때문에, 적극적으로 역할을 맡아서 실천한다면 다투는 일보다 화목하고 즐거운 일이 더 많아지지 않을까?

이처럼 결혼에 있어 부부의 역할 분담은 이제 의무가 되었는지도 모른다. 사회의 기준에서 벗어나 부부만의 역할 분담을 통해 화목하고 행복한 가정을 이어가는 데 역할 분담은 중요한 부분이다. 계속해서 언급하겠지만, 공통의 목표를 설정하고 그것을 달성하기 위한 노력과 역할 분담이 병행되어야 할 것이다.

분명 과거에 비해 성(性)을 벗어난 역할을 분담하고, 혹은 자처하기도 한다. 자신이 잘하는 일 할 수 있는 역할을 찾아서 수행하는 것이다. 아기를 출산하는 일, 모유 수유와 같은 전적으로 여성이 할 수 있는 일을 제외하고 역할에는 성별의 구분이 없다고 볼 수 있다. 육아를 전적으로 도맡아 하는 남편들도 많으며, 경제활동을 적극적으로 하는 여성도, 요리하는 남편, 살림과 경제활동에 전적으로 성(性)의 구분 없이 포진해 있다는 점은 과거와는 분명 달라진 점이라 할 수 있다.

4) 부부 갈등과 의사소통

부부는 서로 함께 행복한 결혼생활을 목표로 하고 있지만 실은 부부란 매우 다른 존재이기 때문에 각자의 욕구를 완벽하게 충족시키기는 어렵다. 결혼생활에서 다양한 측면의 갈등이 발생하는데, 개인의 성격, 개인 습관, 건강, 경제적인 요인, 자녀, 성(SEX) 문제 등 다양하게 나타난다. 이를 원만하게 해결하면 부부관계는 더욱 성숙해지고, 긴밀해지고, 안정적으로 결혼생활이 발전될 수 있다. 그러므로 결혼생활 과정에서 부부는 갈등이 있다는 사실을 문제시하기보다는 존재하는 갈등을 '어떻게 해결할 것인가'에 관심을 가져야 할 것이다.11)

의사소통은 상징적 상호교류 과정이다. 상징적이란 메시지를 전달하기 위해 상징을 사용한다는 것을 의미하며, 여기서 '상징'이란 언어적 행동과 표정, 눈 맞춤, 몸짓, 움직임, 자세, 외모, 그리고 공간적인 거리 등과 같은 비언어적 행동을 포함하는 모든 수단을 의미한다.12) 원활한 부부 의사소통은 결혼생활을 건강하게 유지, 발달시키는 데 매우 중요한 요인으로 볼 수 있다. 그런데도 부부란 성장배경과 개성이 다른 두 개체가 만나 결합 된 것인 만큼 결혼하기 이전에 형성된 의

---

11) 한국웨딩학회. 2010
12) 서병숙. 1998

사소통의 개념이나 습관 등이 매우 달라 원활한 의사전달이 어려울 때가 많다. 특히 오랜 기간 굳어진 의사소통 특성들이 변화되기 어렵다는 점에서 의사소통을 원활히 이끌어갈 수 있는 능력은 부부 적응의 중요한 요인이 된다.[13]

부부의 갈등은 개인의 문제로 발생하기도 하지만 다양한 활동적 요인(가족(친척), 친구, 직장, 취미, 경제)으로 인해 발생하기도 한다. 앞서 언급하였지만, 개인의 국한된 문제를 비롯해 발생한 문제를 두고 서로 잘잘못을 언급하고 득과 실을 따지면서 갈등은 더욱 커진다. 이러한 갈등을 해결하는 방법으로 의사소통이다. 부부의 갈등은 항시 발생하지만, 이러한 갈등을 적절히 해결하지 못하는 경우 새로운 문제와 갈등으로 이어지게 된다. 부부의 문제는 소통의 부재로 이어지고 이러한 소통의 부재는 결국 '성격 차이'로 나타난다. 서로가 틀렸다는 것을 성격에 빗대어 이혼에 다다르게 된다.

자석에 N극과 S극처럼 서로 밀어내기도 하고 잘 붙어있는 것처럼 부부 또한 잘 맞는 것과 맞지 않는 것이 있다. 중요한 것은, 서로 무엇이 같고 무엇이 다른지 소통을 통해 알아가고 서로 같거나 다른 부분을 이해하고 적절한 거리를 잘 유지하기 위한 소통의 노력이 필요하다는 것이다.

---

[13] 이정덕 외, 2003

5) 비혼

아주 잠깐이지만, 비혼을 생각했던 적이 있다. 그 이유는 몇 가지가 있는데 그중 가장 먼저 남자가 갖추어야 할 능력 기준치에 미치지 못해서이다. 남자는 안정적인 직장과 집, 자동차 등 경제적으로 부족하다고 생각했다. 다음은 키와 외모, 체격, 학벌 등에 대해 자신감도 없었다.

처음부터 이런 생각은 하지 않았다. 나름 운동선수로 열심히 살았고, 대학교 1학년 때 전국 1등도 해보고, 내성적인 성격에서 외향적인 성격으로 부족하지만, 자신감은 충만했었다. 고등학교 시절부터 기숙사 생활로 인해 대학 졸업과 동시에 당장 결혼해 안정된 가정을 꾸리고 싶었다. 대학 졸업 이후 외모와 신체는 어떻게 할 순 없지만 나름 관리하고자 책도 많이 읽고 운동도 열심히 했다. 문제는 남자의 능력이다. 경제적으로 여유가 있다는 건 곧 시간의 여유로 이어지고, 여유 있는 시간에 자기관리와 연애를 하는 것으로 생각했다.

대학교 1학년 때 첫 C.C(Campus Couple)를 한번 해보고 연애를 해본 기억이 없다. 운동을 열심히 해야 성공한다는 생각과 동시에 대학교에 다니면서 미래의 배우자를 찾아야 한다고 생각했었다. 하지만, 눈 신경을 다치면서 미래에 대한 걱정과 부상으로 인한 심리적인 두려움은 운동이 아닌 새로운 길을 찾게 되었다. 그러한 경험은 아무것도 모르는 촌뜨기가 세상에 눈을 뜨면서 현실에 KO를 당한 것이다.

열심히 살고 자존감이 높으면 된다는 이야기도 있고, 남들과 비교하지 말라는 말도 많이 들었다. 하지만, 마음속 욕심은 나를 가만히 두지 않았다. 더 많은 돈을 벌기 위해 더 다양한 지식을 쌓기 위해 뛰어야만 했다. 출발점이 달라서일까? 열심히 하는 건 티가 나지 않았고, 타인과 비교하며 나 자신에 실망하고 후회하고 다시 일어나서 달렸다. 당시 누구보다 즐겁고 재미있게 열심히 살았다. 그래서 많은 경험을 할 수 있었지만, 너무 많은 시간이 흘렀고, 결혼을 잊어버린 채 '성공'에 더욱 초점을 맞추게 되었다.

결국 성공을 좇다가 지쳐 혼자 살아도 될 거 같다는 생각이 자연스럽게 들게 되면서, 결혼은 물 건너갔다고 생각했다. 지금 생각해 보면 비혼을 선택하는 이유는 많았다. 한편으로는 정말 결혼 못 할 이유가 쓸데없는 핑계와 자존심이었다는 것을 알게 되었다. 당시 나에게 결혼과 성공은 인생의 전부였다. 결혼 즉 성공이라고 생각해서 결혼 못 하면 실패한다는 생각이 강하게 들었다. 결론적으로 늦은 나이에 결혼할 수 있었고, 당시의 그러한 걱정과 고민은 성공과 결혼에 대해서 다시 한번 생각해 보는 계기가 되었다.

결혼과 비혼은 현대 사회에 살아가는 성인이라면 누구나 한 번쯤은 고민하고 선택해야 한다. 이 책이 비혼주의자들의 주장에 있어 근거가 될 만한 정보들이 담겨있다고 볼 수도 있다. 지극히 개인적인 생각도 사회적인 영향도 있겠지만, 이 책의 주된 내용은 아내의 경험과 생각을 중심으로 작성했다는 점이다. 복싱선수 아내는 결혼하게 되면서 많은 희생과 포기를 선택해야만 했다. 남편 또한 경제적인 자유에서 벗어나지 못해 평생 무거운 책임감을 안고 살아가야 할 것이다. 이 책은 남편과 아내를 기준으로 승패를 가르는 것은 아니다. 누가 더 희생해야 하는가? 누가 더 이익을 보아야 하는가? 그 누구도 희생을 원하거나 불평등한 이익을 바라진 않을 것이다.

희생하지 않고 손해를 보지 않겠다는 생각이 비혼을 선택하게 되는 이유일지도 모른다. 더불어 결혼으로 인해 개인의 경제력, 생활공간, 취미, 환경, 직업 등 기존에 자신이 갖추어 놓은 것들이 위협을 받기 때문이다. 즉, 개인의 삶의 가치와 권리를 이기적으로 중요시하는 모습은 결혼과 멀어지게 되는 것은 아닐까.

무엇보다 나는 비혼에 대해서 '결혼을 포기한다.'라고 말하는 것에 대해 부정적으로 생각한다. 진짜 결혼을 포기할 수도 있지만, 나는 '선택'이라고 본다. 결혼과 비혼 중에 자신에게 더욱 이익이 있는 것 행복을 가져다줄 수 있는 것을 선택하는 것이지 포기는 아닐 것이다. 3포세대, 5포세대, 7포세대 등 '포기하는 세대'가 사회현상이라고 한다. 포기라는 말보다 선택이라는 말이 바르다고 본다. '선택'은 또 다른 '선택'을 할 수 있다. 비록 지금은 비혼을 생각하고 선택하였지만, 어느 정도 환경이 좋아진다면 다시 결혼을 '선택'할 수 있어야 한다. 비혼의 증가는 사회적인 문제이지 포기해야 하는 개인의 문제라고 생각하지 않는다.

비혼(非婚)의 어원으로 '미혼(未婚)'을 들 수 있다. 미혼은 '결혼해야 하나 아직 하지 않은'이라는 의미를 내포하고 있어 용어 자체에서 결혼 중심의 문화가 그대로 드러나 있다.[14] 더욱이 과거에서부터 부모는 자녀의 성공과 결혼 여부에 많은 걱정과 관심을 두는 것을 볼 수 있다. 미혼이라는 단어 자체가 인생의 성공과 실패를 결정하는 잣대의 의미로 사용되면서 미혼에 대한 부정적인 의미가 강하게 자리 잡게 되었다.

시대와 사회가 변화함에 따라 결혼에 관한 생각과 태도도

---

14) 장우정, 2019

함께 변화해 왔다. 가부장적인 시대의 결혼은 여성의 희생은 당연하게 받아들였다. 현대 사회에서 더는 결혼을 통한 여성의 일방적인 희생은 수용되지 않는다. 여성을 비롯해 남성 또한 가장으로서의 책임감과 더불어 결혼이라는 속박된 삶을 벗어나 자유로운 삶을 추구하는 상황에서 결혼은 필수가 아닌 선택이 되었다.

우리 사회는 계속해서 변화해 가고 있으며, 다양한 생각과 다양한 결정과 선택은 사회에 반영된다. 비혼을 과거의 혼인 경험이나 당사자의 결혼에 대한 의지와는 상관없이 '현재 혼인 관계에 있지 않은 상태'로 정의하여 다양한 의미를 포괄하고자 하는 시도들이 많이 생겨나고 있다[15]. 즉, '비혼자'는 적극적으로 결혼을 거부하는 것이 아니라 다만 현재 결혼하지 않은 상태에 있는 사람을 포함하는 개념으로 볼 수 있다.[16]

나는 비혼에 대해서 개인적인 부분과 사회적인 부분에서의 접근과 이해가 필요하다고 생각한다. 결혼의 여부 선택을 결정짓게 하는 가장 중요한 기준으로 개인주의, 역할의 충돌, 경제적 문제이다. 개인주의가 심화함에 따라 개인의 생활영역을 침범하거나 삶을 공유해야 하는 불편함과 부담을 느끼게 된다. 또한, 결혼에 필요한 자원의 충족과 사회적 복지 수준이 긍정적으로 보완되어야 할 것이다. 개인적인 측면과

---

[15] 장우정, 2019
[16] 김지유, 2018

사회적인 측면을 종합적으로 살펴보았을 때 안정적인 균형을 이루어야 할 것이다.

결론적으로 결혼과 비혼의 선택을 행복 수치로 비교해 본다면, 결혼이 주는 행복은 40% 비혼의 행복은 60%가 아닐까. 비혼을 선택함으로 자신이 누릴 수 있는 행복이 더 크다는 것이다. 분명 이는 나의 주관적인 생각이며, 결혼이 가져다주는 행복이 더욱 높아지기를 희망한다.

2. 가족

1) 가족의 특징

가족은 결혼에서부터 시작된다고 볼 수 있다. 결혼의 제도 아래 가족의 구성원이 되어 성(SEX), 심리, 경제와 같이 삶의 다양한 부분을 공유하며 살아가게 된다. 가족의 정의에 따르면 가족은 사회의 생존을 위하여 핵심적인 특정 기능을 수행하는데, 자녀 출산 및 양육, 가족 구성원을 보호해서 결과적으로 사회를 유지하는 기능적 요구에 이바지하며, 가족에서는 혈연관계(부모-자녀 관계)와 인연(姻缘) 관계(부부 관계)를 기본으로 하고 이에 확장된 관계도 포함한다.[17)]

가족은 항상 우리 주변에 있다고 생각하고 언제나 나를 믿어주고 지지해 줄 것으로 생각하기에 평소에는 특별히 중요하다고 지각하지도 못한다. 하지만, 가족은 의식적이든 무의식적이든 우리에게 영향을 미치고 있으며 또 개인에게 일어나는 사건 대부분에 관여하는 인간 생활의 가장 기본적인 제도이다.[18)] 또한, '가족이 된다'고 말하는 것은 일련의 사회관

---

17) 이상, 2019
18) Gubrium & Holstein, 1997

계를 묘사하기 위해 '가족'이라는 용어를 사용할 뿐만 아니라, 그 관계가 계산적이지 않고 믿을만하며, 아낌없이 주는 관계라고 하기도 한다.19)

가족은 인류의 역사 이래 가장 오래되고 탄력적인 제도로서 어떠한 형태로든 존재하였으며 어느 사회든 그 사회의 기본단위 기능을 수행하고 있다. 가족은 정치, 경제, 종교, 교육 등 여타 제도와 마찬가지로 하나의 제도임이 틀림없으나 사람들은 신체적, 정서적, 경제적 지원 등을 받기 위해 자신을 이에 포함해 왔다. 즉, 인간은 가족이라는 제도가 개인의 신체적, 정서적, 경제적, 사회적 지원을 받기에 가장 '만족스

19) Gubrium & Buckholdt, 1982

럽고 기능적인' 제도이며, 사람들 간의 상호작용을 형성하는 가장 '의미 있는' 제도인 것을 이해하고 있다.[20] 학자들에 따라 서로 조금씩 다른 관점을 제시하고 있기는 하지만, 가족의 기능은 성적 욕구 충족과 생식기능, 애정 기능, 경제적 기능, 정서적 기능, 지위 부여의 기능, 교육 기능, 보호 기능, 종교적 기능으로 제시할 수 있다.[21]

가족의 제도 안에서 가족들 간 삶의 여러 측면에 영향을 주며 다른 집단과 개인의 친밀한 관계를 만들기도 한다. 한편으로 가족은 폐쇄적 집단이며, 그 가족의 구성원이 되기 위한 자격의 획득이나 포기가 쉽지 않다. 또한, 가족 구성원들 간의 역할에 따라 가족의 의미와 중요성은 다르게 부여된다. '가족'이라 함은 그 구성원들을 위해, 가족이 포함된 더 큰 사회를 위해 고유한 기능을 수행한다. 사회적 가족의 기능은 전체 사회를 움직이는 중요한 역할이 되기도 한다. 여기에서 발생하는 가족의 문제는 관계에서 비롯된다고 볼 수 있다. 가족은 결혼과 출산으로 형성된 관계이며, 단편적으로 관계의 존속 여부를 통해 문제를 해결해 또 다른 사회문제를 초래하게 된다.

우리에게 가족은 공기와 같이 잠재적인 의식 속에 존재하고 있어, 가족에 대한 역기능과 순기능을 포함해 그 의미와 소중함을 방관하기도 한다. 가족은 결혼과 마찬가지로 사회

---

[20] 미래가족 연구회. 2011
[21] 이정덕 외 2003

의 변화와 함께 가족의 의미와 특징도 함께 변화 해가는 속에서 가족에 대한 인식을 고민해 볼 필요가 있다. 가족은 무엇인가? 결혼과 가족은 어떠한 관계가 있는가? 꼭 결혼이라는 제도가 가족을 형성하는 유일한 방법인가? 가족은 우리에게 어떠한 영향을 미치고 있으며, 무엇이 가족 구성원을 유지하거나 방해하는가?

우리 사회에서 가족이 관련된 사건·사고들을 종종 볼 수 있다. 가족의 문제는 누구나 쉽게 공유될 수 있고 이해될 수 있는 문제들이다. 문제를 해결하기 위한 노력은 가정에서도 사회에서 흔히 볼 수 있다. 부부의 문제, 아이의 문제를 다루는 전문의를 비롯해 방송에서 흔히 볼 수 있다. 가족을 나무에 비유하자면 한 그루의 나무가 아닐까. 가족 구성원은 나무의 과실이 되는 것이고 가족이라는 그룹은 나무의 몸통이자 뿌리이다. 가족은 눈에 볼 수 있거나 만질 수 있는 그러한 표면적인 것에서 벗어나, 삶을 살아가는데 자연스럽게 형성되어 가족 구성원을 서로 연결하고 정체성의 틀을 만들어 함께 성장해 가는 것이 아닐까.

2) 가족의 구성

현대 사회의 다양한 변화는 가족을 구성하는 데 있어 구조적인 특성과 기능, 구성도 함께 변화하였다. 가장 크게 부모 중심으로의 가족과 부부 중심으로의 가족으로 변화해 가고 있으며, 가족을 분류하는 가장 기본적인 기준은 그 구성원의 대소에 따라 대가족과 소가족으로 구분하는 것이다. 그뿐만 아니라 동거하는 성원의 세대수를 기준으로 가족을 분류할 수도 있다.[22]

---

22) 이정덕 외 2003

90년대 이후 한국 가족 구성의 특징을 살펴보면, 3~4인으로 구성되었던 가족 구성원은 줄어들고 있으며, 1~2인 가구 수는 증가하고 있다. 맞벌이하면서 아이를 낳지 않는 딩크족, 아이를 낳고 싶어도 소득이 적어 어쩔 수 없이 아이를 낳지 못하는 핑크족, 애완동물을 자식처럼 생각하고 살아가는 딩펫족(부부+애완동물) 등이 2인 가구를 차지하고, 홀로 사는 1인 가구 수도 전체의 23.9%를 차지한다.[23]

결혼해서 자녀가 필요 없다는 젊은 청년들의 인식은 결혼으로 인해 최소한의 행복을 유지하는데 몰두하고 있다고 해도 과언이 아닐 것이다. 자신이 누리고 있는 시간적 공간적 자유를 침해받지 않으려고 하며, 자녀를 낳아 기르는데 들어가는 경제적 부담을 덜기 위함이라고 할 수 있다. 결혼에 앞서 집, 경제력 그리고 자녀 계획에 대한 이견조율이 필요하다. 여성이 임신하고 출산하는 과정에서 나타나는 신체적 변화로 인해 임신을 꺼리는 사례도 볼 수 있다.

결혼 건수가 줄어들고, 결혼 후에도 자녀를 원하지 않는 부부로 인해 아버지와 어머니의 역할 그리고 가족의 역할과 의미도 분명 달라지고 있다. 가족구조는 다양해지고 복잡해지고 있지만, 사람들은 다양한 가족을 인정하지 않으려 하며, 여전히 가족을 전통적인 가족 개념에서 핵가족 단위로 인지하는 경향이 있다. 보편화한 1인 가구는 '가족'이라기 보다 '가구'로 부르는 경향이 있으며 비정상적인 가구 유형으로

---

[23] 이강자, 2015

구분되기도 한다. 가족의 구성은 이제 남성과 여성에서 벗어나 남성과 남성, 여성과 여성, 사람과 동물, 사람과 식물 등 포괄범위는 매우 다양하고도 넓다. 점차 가족에 대한 의미와 역할이 변화하는 사회에 맞추어져 가고 있다.

3. 스포츠와 가족

스포츠 역할과 기능의 획득은 부모, 형제의 직접적인 지도와 그들의 역할모형을 모방한 결과이다. 사회구조에 있어서 가족의 사회 계층적, 구조적, 행동 양태적 위치나 특성은 스포츠사회화에 많은 영향을 미친다는 것이 일반적이다.[24] 스포츠가 가족 연대성, 종합성, 친밀성 등을 유지하는 측면도 생각할 수 있겠다. 이들 기능은 넓은 의미로서 교육·문화적 활동에 해당하며, 가족원의 교육적·문화적 수준을 유지하고, 또한, 구성원 간의 긴장감을 해소하고, 정서적·정신적인 안정을 얻게 하기 위한 기능 및 조직이라 할 수 있다.[25]

가족이 스포츠로의 사회화에 이바지하는 요인으로서 부모, 형제, 자매, 친척, 이성 친구, 학교 코치와 같은 주관자의 영향이 있으며,[26] 원초적인 사회와 더불어 일생을 통해 가장 중요한 영향력을 담당하는 주관자는 가족이다. 현대 사회의

[24] 임번장, 2010
[25] 강호기, 2007
[26] Kenyon, Grogg, 1970

가족 구성원과 결혼에 대한 변화는 가족 간의 소통과 교류에 영향을 미치고 이에 따라 가족 간의 관계가 점점 소원해지고 있다. 이와 같은 가족 관계 문제를 해결해 줄 수 있는 가장 효과적인 것이 바로 스포츠 참여이다. 핵가족화 추세 속에서 가족 구성원들이 다 같이 스포츠 활동에 참여하는 것은, 가족의 정서적, 정신적 안정을 꾀하고, 가족원의 가족 집단에 대한 소속 의식 향상에 이바지한다고 생각한다.[27]

가족 구성원의 스포츠 활동 참여는 개인의 신체적·정신적·정서의 긍정적 개선으로 작용할 수 있다. 즉, 스포츠 활동을 가족 구성원 간의 실천으로 가족 간의 의식과 가족 개개인에게 긍정적인 개선이 유도된다면, 사회적으로 매우 중요한 효과를 보게 되는 것이다.[28] 또한, 부모가 자녀에게 스포츠를 권하는 것은 스포츠가 자녀의 심신 발달에 좋은 영향을 끼치는 활동이다. 부부와 함께 스포츠에 참여하면서 부부관계의 문제 개선과 애정을 더욱 높여 줄 수 있다는 점에서 생애 전반적인 활동으로 스포츠 참여가 중요한 역할을 한다고 볼 수 있다. 스포츠 참여의 긍정적 효과를 가족 전체가 누릴 수 있다는 것은 무엇보다 건강한 가족이 되는 가장 효과적인 방법이라고 볼 수 있다.

---

[27] 혼진수, 2004
[28] 배준성, 2000

운동선수들은 어린 시절부터 가족들과 분리되어 생활하는 경우가 많다. 심하게는 초등학교 시절부터 합숙소 생활을 통해, 그들의 가족과 떨어져 생활하면서 의식주를 해결하며 학교생활을 하게 된다. 이 과정에서 운동선수들은 가족을 그리워하고 의지하게 된다. 이런 연유인지는 몰라도 한국의 운동선수들은 가정적이며, 자신의 가정을 다른 직종에 있는 비슷한 연배의 친구들보다 훨씬 이른 나이에 꾸리려고 하는 것 같다. 한편으로는 보편적인 가족 환경에 적응하지 못하여 가족 구성원으로 해야 할 역할을 완수하는 데 어려움을 겪기도 한다.

'가족' 및 '스포츠'를 사회적인 접근을 통해 운동선수의 가족, 운동선수와 가족의 관계, 운동선수 가족의 역할과 같이 접근해 볼 수 있다. 가족에게 스포츠가 필요한 조건이 아니라 우리 삶에 녹아 있다는 점에서 다시 한번 중요성을 자각하고 점검해 봄으로써 건강한 가족으로 나아갈 수 있을 것이다.

2012년 KBS 예능으로 '나는 야구선수와 결혼했다'라는 프로그램은 야구선수 부부들의 진솔한 일상을 다루었다. 인기 종목 스포츠의 경우 비인기 종목보다 대중들에게 많은 관심을 받고 있으며, 선수의 삶과 그 배우자로 사는 삶은 분명 평범하지 않다는 것이다. 스포츠 유명 스타의 연애설, 결혼 소식은 대중의 관심을 받고 있다.

처음 가족과 스포츠의 관계에 관심을 가지게 되면서 가족의 이야기이면서 운동선수 가족이 스포츠로 인해 어떤 경험을 하게 되는지를 이해하고자 하였다. 일부 방송과 신문 기사와 같은 대중매체에서 운동선수 '가족'과 그들의 '아내'에 관한 소량의 기사 내지는 보도물을 볼 수 있다. 운동선수의 가정사에 관한 직접적인 이야기, 운동선수 아내의 전반적인 삶, 운동선수 가족에 대한 진솔한 이야기는 이 책이 유일하다고 할 수 있다.

가족은 스포츠 활동에 매우 중요한 역할을 하고 있으며, 운동선수의 가족은 선수뿐만 아니라 선수가 소속되어 있는 팀을 위해서도 매우 중요한 임무를 수행한다고 할 수 있다. 운동선수 아내에 대한 구체적이고 깊이 있는 관심이 필요하며, 가정을 이룬 운동선수 아내를 이해하는 것은 다른 무엇보다 운동선수와 그 가정에 중요한 부분이라고 볼 수 있다.

가족에게 스포츠 참여는 무엇보다 중요하며 필요하다는 것은, 부정할 수 없다. 등산, 낚시, 당구, 골프, 축구 모든 생활 스포츠에 참여하는 가족의 경우는 적절한 선에서 긍정적이라 할 수 있겠다. 오히려 부부관계가 더욱 좋아질 수도 있다. 한편으로는 과도한 몰입으로 인해 가정에 소홀하고 불화를 일으키기도 한다. 스포츠 참여 자체가 직업이 되는 경우는 조금 다르다고 볼 수 있다. 스포츠 참여 목적이 건강과 스트레스 해소와 같은 긍정적인 것이 아니라 오로지 경제적 이득을 위한 참여는 과도하게 몰입할 필요가 있다.

예로 들면 중요한 대회에 입상 시 연봉이 올라가는 경우 퇴근 후에도 훈련(일)할 수 있다. 이는 가족으로서는 어쩔 수 없이 이해해야 한다. 스포츠 선수의 연장근무에 따른 경제적 보상은 불 확실하다. 그러한 불확실에 대한 참여에 가족은 이해하고 기대를 바랄 수밖에 없다. 즉 스포츠와 가족은 일반 가족과 다른 다양한 역할을 가지고 있다는 점을 알 수 있다. 앞으로 전개될 주된 내용은 아내의 역할을 구체적으로 설명할 것이다.

4. 한국 복싱과 가족

　한국 복싱은 한때 국내 최고의 인기 스포츠로 영광을 누렸다. 1966년 김기수 선수는 니노 벤베누티(이탈리아)를 15회 판정승으로 한국 최초의 WBA 주니어 미들급 세계 챔피언이 되었다. 이를 시작으로 프로복싱에서는 50여 명의 세계 챔피언이 배출되었다. 아마추어 복싱은 아시안게임에서부터 올림픽까지 수많은 메달을 획득하였으며, 우리나라 역대 금메달 순위에서도 당당히 5위를 차지할 만큼 복싱은 엘리트 체육으로 큰 인기를 누렸다.[29]

　이후 한국스포츠를 대표하는 복싱은 점차 침체기에 접어들었으며, 과거와 비교하면 세계 정상급 선수들의 소식을 접하기 어려운 상황에 이르렀다. 다양한 프로 스포츠의 탄생과

---

29) 김주영, 2005

흥행은 물론이며, 복싱처럼 위험한 운동은 선호하지 않게 되었다. 더구나 과거 배고픔에서 벗어나기 위한 '헝그리 정신'은 그저 과거 복싱의 전성기를 뒷받침해 주는 역사로만 남아 있는 실정이다.

한국 복싱의 침체기를 지나서 100년의 역사를 맞이하는 상황에서 사회변화에 따른 여가 생활이 변화함에 따라 복싱을 건강증진과 다이어트를 목적으로 하여 새로운 복싱의 시대가 시작되었다. 과거 프로선수를 육성하는 프로그램에서 뮤직 복싱, GX 복싱과 같은 다양한 생활체육 복싱 프로그램이 개발되었으며, 남성들의 전유물인 복싱은 이제 수많은 여성이 복싱을 통해 스트레스를 해소하고 건강증진을 위해 참여하고 있다. 그뿐만 아니라 연예인들의 복싱 참여와 복싱 영화가 제작되는 등 복싱은 생활체육으로써의 새로운 전성기를 맞이하게 되었다.

특히나 복싱 영화와 같은 대중매체의 역할은 복싱의 관심과 인기를 지속해서 뒷받침해 주고 있다. 국내 복싱 영화의 대표작으로 '챔피언', '주먹이 운다'를 들 수 있다. 이 두 영화를 잠깐 소개하자면, '챔피언'은 복싱선수 김득구의 실화를 다룬 영화다. 시골에서 나고 자란 김득구는 서울로 상경해 동아 체육관에 입관한다. 이후 같은 건물에 이사 온 경미를 보고 첫눈에 반한다. 결국, 두 사람은 결혼하게 되고, 이후 김득구는 세계 챔피언이라는 꿈을 위해 LA로 떠난다. 이때 가장 유명한 명대사로 김득구가 시합을 떠나기 전 아내에게

했던 "내가 죽으러가나? 반드시 이기고 돌아올게"라는 유명한 대사가 있다.

또 다른 영화 '주먹이 운다'는 왕년에 아시안게임 은메달리스트인 '태식'에게 유일하게 남은 것은 아내와 사랑하는 아들이다. 태식은 새로운 희망으로 신인왕전에 출전하게 되고 그 상대 선수는 '상환'이다. 상환은 싸움에 휘말려 교도소에 가게 되고 교도소에서 사고로 인한 아버지의 사망, 그리고 할머니가 쓰러졌다는 소식을 전달받고, 교도소에 있는 복싱부에 들어가 신인왕전에 출전하게 된다. 두 영화의 공통점으로 복싱 경기의 승리와 가족에 대한 사랑 이야기가 공존한다.

프로 복싱선수 홍수환이 챔피언이 되고 어머니에게 외친 "엄마 나 챔피언 먹었어"라는 말이 유행어가 되었다. 앞서 스포츠와 가족의 관계는 특별한 의미와 역할이 존재하듯이 과거에서부터 한국을 대표하는 복싱은 가족과 항상 함께한다고 볼 수 있다.

최근에는 실화를 바탕으로 한 '카운터'가 개봉했다. '카운터'의 영화는 88 서울올림픽 복싱 금메달리스트 박시헌의 이야기이다. 영화 끝 부부분에 복싱선수 가족의 모습을 절실히 보여주는 부분이 있다. 박시헌의 아내 조일선에게 다시 청혼하는 장면이다. 결혼식을 올리지 않고 혼인신고만 하고, 신혼여행도 하와이가 아닌 전남 담양으로 갔다며, 박시헌이 이야기한다. 결혼과 신혼여행 모두 선수인 박시헌을 생각해 행동한 아내의 역할이며 선택이다. 단 한 번뿐인 결혼식을 어떠한 이유에서 포기한다는 것이 쉬운 선택일까? 이렇듯 운동 선수의 아내로 살아간다는 것은 무엇인가 특별함이 있다.

PART 2. 복싱선수 아내가 생각하는 가족의 의미

우리는 가장 먼저 가족이라는 울타리 안에서 태어나 가족과 함께 생활하고 있다. 오늘날 우리의 가족은 과거 전통적인 개념과는 많이 달라졌으며, 다양한 변화 속에서 가족이란 무엇인지 명쾌한 정의를 내리기란 쉽지 않을 것이다. 가족은 사랑을 바탕으로 결혼을 통해 이루어진다. 현대 사회로 오면서 성(性)과 사랑은 급속한 의미 변화를 겪게 되었다. 남녀를 불문하고 성이 더 자유로워지고 사랑과 친밀성의 성격이 변화하면서, 성(性)생활, 남녀관계, 부부관계와 결혼생활 등 일상생활 전반에 변화가 일어나고 있다. 이러한 변화는 가족의 형태와 성격도 변화시켜 왔다.30)

인간은 사회적 존재로 개인이 없이 사회가 있을 수 없고 사회 없이 개인이 있을 수 없다. 개인과 사회의 중간에 있는 매개적 체계가 가족이다. 가족은 개인의 일상생활과 밀착된 보편적인 집단이다. 또한, 가족은 개인들의 특별한 결합이며 사회를 구성하는 기본 집단으로서 개인과 사회조직의 중간 역할을 동시에 수행하고 있다.31) 우리는 가족에 대해 어떠한 인식을 하고 있는지, 가족의 구성원에서부터 역할까지 다양한 접근과 생각이 필요하다. 가족은 심신(心身)의 안정감을 주는 반면에 높은 기대감으로 가족 구성원 간의 충돌로 이어질 수도 있다. 앞서 언급하였듯이 가족의 형태는 계속해서 변화를 맞이하고 있으며, 복싱선수 부부 또한 그 변화 속에서 다양한 경험을 하고 있었다. 결혼 후 가족의 구성원으로서 경험하는 바가 긍정적 혹은 부정적인 결과로 나타나는 가운데 다음 복싱선수 아내가 생각하는 가족에 대한 의미를 살펴보자.

> "책임감과 부담감을 느끼고 살아가는 것? 가족으로만 본다면 항상 함께하는 것? 가족은 하나? 잘 모르겠는데 아직 젊고 일도 안 하고 있어서 부담감과 책임감이 크죠. 지금은 가족이라는 자체가

---

30) 비판사회학, 2015
31) 미래가족연구회 2011

부담되고 걱정이 돼요. 현재 상황으로는 (중략)…. 어떻게 해야 할지를 모르니깐. 아기를 어떻게 키워야 할지. 남편도 운동을 언젠간 그만두어야 하니깐."

"경제적인 부분이 크죠. 아기도 더 크면 더 많은 돈이 들어갈 텐데. 운동선수 생활도 몇 년밖에 남지 않았는데. 경제적인 부분 때문이죠 (중략)…. 가족은 하나인 거 같아요. 다 보듬어 줄 수 있으니깐 제가 잘못을 해도 가족이라는 울타리라는 안에 있으니 좋은 거죠."

'삼포세대'는 '연애', '결혼', '출산'을 포기한다는 말이다. 연애 후 결혼하고 출산을 위해 가장 필요한 것은 경제적 안정이다. 취업이 어렵고, 취업하더라도 적령 보장이 어려운 상황은 미래에 대한 불안감으로 나타날 수밖에 없다. 다양한 개인의 불안과 걱정은 가족의 문제로 확장되어 나타나고 있다. 위의 면담에서 볼 수 있듯이, 가정을 위협하는 경제력은 가족을 구성 유지하는 데 중요한 요인으로 보인다.

"가족이란 꼭 부부 자녀로 이뤄진 단위가 아니라 한국의 문화적 정서에 맞게 서로 정을 나누는 관계라고 생각해요. 예를 들어서 몇 년간 같이 지낸 룸메이트, 애완견 등등 포괄적으로 가족에 속한다고 봐요. 굳이 혈연관계가 아니더라도 가족은 한 개인일 때 보다 책임감이 가중되고, 누릴 수 있는 자유가 적어지지만, 심리적 안정, 외로움 등에서 벗어날 수 있고 경제적인 부분에서는 서로 뒷받침해 줄 수 있어서 안정적이라고 생각해요."

"가족은 저에게 작은 행복, 작은 불행을 함께 할 수 있는 나의 버림목이에요. 하지만 복싱선수 아내로서 가정을 이루어 살아간다는 것은 불안정한 경제력에서 오는 부담감을 안고 살아야 하고 무엇보다 몸을 다루는 직업이니만큼 다른 가정보다 건강에 신경을 쓰게 되는 거 같아요."

"가족은. 영원한 내편. 가장 나다울 수 있고, 언제든지 돌아갈 수 있는 곳?"

가족에 대한 의미는 위의 면담에서 볼 수 있듯이 개인의 차이에 따라 출산 및 경제와 같은 외적인 부분에서 생각할 수 있으며, 심신의 안정, 의지, 믿음의 내적인 부분에서 생각해 볼 수 있다. 가족에 대한 의미가 책임감을 바탕으로 경제적 문제를 포함하는 가운데, 현실과 이상이 공존하는 것으로 나타나고 있었다. '가족'의 정의는 시대가 변화함에 따라 함께 변화할 것이다. 가족은 한 지붕 아래 삶의 일부를 공유하고 즐거움도 기쁨도 슬픔도 함께 나누는 것은 아닐까.

종합해 보면 복싱선수 아내의 가족은 걱정과 불안 그리고 안정과 행복을 의미하고 있었다. 복싱선수 아내는 불안과 걱정을 안고, 가족의 구성과 유지를 위한 노력을 볼 수 있다. 이러한 노력은 경제적인 불안과 걱정을 부정적인 자세보다 가족의 순기능과 긍정적인 방향으로 상황을 받아들이고 참고 견뎌내는 것이다. 자신이 처한 상황에서 서로를 이해하고 참고 살아가는 것이, 현재 우리의 삶이고, 과거 부모님들의 삶이 아니었을까.

한편으로 '가족' 관계를 유지하기 위해 '참고 살아간다.'라는 것은 옛말이다. 과거 가족을 형성하고 유지하는 과정에서 경험하는 힘겨운 삶을 무작정 참고 살아왔다면, 현대 사회는 자신을 힘들게 했던 부부(가족)의 고리를 끊어버리게 되는 것이 '이혼'이다. 통계청에 따르면 OECD 이혼율 1위 국가로 2019년 우리나라 이혼은 월별 약 9,000건으로 나타났다. 이렇게 이혼이 많은 이유는 결혼이 쉬워서일까 이혼이 쉬워서일까? 쉽다는 표현이 적절한지는 모르겠으나, 우리나라에서 결혼을 포기하고 이혼율이 높다는 현실이 불편할 뿐이다. 이혼의 선택은 육체적으로나 정서적으로 안정을 찾을 수도 있지만, 그에 따른 또 다른 책임도 따른다는 것이다. 행복한 가정을 꿈꾸며, 미래를 만드는 과정에서 발생하는 수많은 문제와 상황을 이겨내고 극복해야만 한다.

'결혼'을 선택하면 '가족'이 형성되고 이 '가족'을 잘 꾸려가지 못한다면 결국 '이혼'으로 이어진다는 점에서 결혼과 이혼을 함께 짚어볼 필요성이 있다. "이혼하게 되면 어떡하지?"라는 걱정이나 두려워할 필요는 없다. 결혼은 곧 가족을 형성한다는 부분에서 결혼 전 자신이 생각하는 가족의 의미는 무엇인지 곰곰이 생각해 보는 것이다. 예비 배우자와 자신이 꿈꾸는 가족에 대해 함께 대화를 나누어 보는 것도 필요할 것이다. 그러한 가족을 잘 유지하고 만들어 가기 위한 심신의 준비가 되어있다면 우리가 원하는 '건강한 가족', '행복한 가족', '따뜻한 가족'을 그려갈 수 있을 것이다.

1. 가족의 구성

가족의 구성은 부부와 같이 혼인으로 맺어지거나, 부모·
자식과 같이 혈연으로 이루어지는 집단. 또는 그 구성원이
다.32) 우리의 전통적 사회는 확대가족이었으나, 현대 사회의

---

32) 네이버 국어사전

가족은 사회적, 신체적, 심리적 변화를 바탕으로 핵가족화되었다. 특히나 문명의 발달을 바탕으로 생활환경은 편리해졌고 삶의 방식 또한, 개인주의를 지향하고 있다. 이와 같은 생활의 변화는 혼밥(혼자서 밥을 먹고), 혼술(혼자서 술을 마시고), 나홀로족(혼자만의 시간을 보내는)이라는 신조어가 생겨났다. 현대 사회에서 가족을 구성하고 개인의 삶에서 벗어나 타인과 삶을 공유하고 맞추어 가는 것은 가족의 형태 변화에 영향을 미친다고 볼 수 있다.

우리나라의 '핵가족'이라 함은 최소한의 구성원(부부, 부모 자식)으로 형성되어 있다. '가족의 구성'을 결혼하고 자식을 낳는 것에서 '가족의 구성'이 갖는 사회적 의미를 비롯해 현실적으로 직면하고 있는 다양한 문제에 주목해야 한다. 최근 정부에서 가족의 정의 규정 개정을 추진한다는 소식을 접하게 되었다. 이는 한국 사회가 부부 및 미혼자녀 가구의 감소와 1인 가구, 미혼 부모, 동거, 비혼의 증가 등으로 인해 혼인, 혈연 중심 가족 관련법을 개정한다는 것이다. 다시 말해 복지 사각지대에 속하는 1인 가구를 비롯해 돌봄을 기반으로 한 비혼, 동거 등의 구성도 가족으로서 권리를 보장한다는 것이다.

변화하는 사회와 함께 가족의 구성에 관한 사고의 변화도 일어나는 가운데 다음 면담은 가족에 대한 의미와 구성에 대한 답변이다.

"집에서 함께 먹고 자고 하는 것이 가족 아닌가요? '가족' 하면 생각나는 것이 우리 아가랑 남편이랑. 부모님?"

"둘째요? 모르겠어요…. 지금 상태로는 좀 무리인 거 같아요. 둘째 임신하면 또다시 10개월 1년 가까이 아무것도 못 하잖아요. 그게 너무 싫어요. 남편이 도와줄 수 있는 부분도 한계가 있고. 빨리 연속으로 낳아버리고 직장을 갖든지 아님 아직은 그럴 마음에 여유가 없네요."

단순히 가족을 부모와 자녀 그리고 동반자로 구성되어 있다는 것은 누구나 알고 있다. 이를 바탕으로 가족 구성에 있어 부부에게 있어 자녀 출산은 완전한 가족을 구성하는 데 중요한 부분이다. 자녀를 출산함으로써 부모 자녀 관계가 성립되며 가족으로서 의미를 갖게 된다. 아기를 갖는다는 것은 흥분과 긴장, 갈등을 함께 얻는 것이다. 육체적 피로는 증가할 것이고 경제적 부담은 늘어날 것이다. 심리적인 안정감과 즐거움, 기쁨 등 또한 함께 늘어날 것이다. 자녀 계획에 있어 무엇을 고려해야 하는지 점검해 볼 필요가 있다. 생명의 탄생에 있어 기쁨보다 걱정을 먼저 해야 하는 시대에 살고 있는 우리는 자녀 계획은 의무도 아니며 환경에 따른 선택이 되었다.

다음 아내의 이야기는 가족을 구성하는 과정을 살펴볼 수 있다. 결혼 후 자녀 계획을 세워서 임신하기보다 임신으로 인한 결혼의 경우 다음과 같은 사례가 발생할 수 있다. 더구나 아내의 출산 과정에서 남편의 역할에 따라 출산에 대한 아내의 부정적인 인식이 자리 잡을 수 있다. 출산 이후 일부 부부의 성관계가 줄었거나, 아기에게 많은 관심을 쏟게 되면서 부부관계가 소홀해지기도 한다.

> "전 아기 낳고 나서 (성) 관계를 많이 안 했어요. 남자들 본능적으로 다 하려고는 하는데…. 어쩌겠어요…. 배우자가 싫다고 거절하는데 강제로 하면 그게 사랑이겠어요? 강간이죠. 처음 임신하고 관계 부분에서 조심하게 되고 아기 낳고 나서는 제가 조금 더 멀리하게 되더라고요. 특히 제가 임신해서 출산할 때 남편은 이리저리 불러 다니고 시합이나 훈련 때문에 제 곁에 있어 주지 못했거든요…. 그때 너무 서운했어요. 운동선수가 아니었다면…. 하는 생각도 들고…. 정말 힘들고 고통스러웠는데 남자들은 피임을 잘 안 하는데…. 저희는 처음 관계했을 때 임신했거든요? 그래서 (임신이 될 거 같아서) 더욱 조심하게 되고…."

부부에게 자녀가 주는 행복과 기쁨은 경험해 보지 못한다면 알 수 없지만, 그렇다고 꼭 자녀를 낳아 길러야 한다는 것은 아니다. 자녀를 원하는 부부도 그렇지 않은 부부도 있다. 이러한 선택은 결혼 전에 결정되기도 한다. 자녀를 원하지 않던 부부가 자녀 계획을 세우기도 하고, 반대로 자녀를 원했지만, 부부의 개인 상황과 환경에 따라 무자녀를 선택하기도 한다. 보통의 무자녀 선택은 맞벌이와 교육비에 대한 부담이 크게 작용한다고 볼 수 있다. 육아를 위해 다니던 직장을 그만두거나, 자녀 교육비에 큰 비용을 지출해야 하는 것이 현실이다. 자녀를 낳아 기르는 데 필요한 경제적, 시간적, 육체적, 정서 등을 고려하여 신중한 선택이 필요하다. 한 동안 뉴스에 아동 학대에 관한 기사를 자주 접하게 되면서 더욱 많은 생각이 들었다. 가족을 구성하고 유지하는데 많은 상황을 고려해야 하고 선택해야 한다. 가족을 어떻게 구성해야 할지는 부부의 선택인 만큼 중요하며, 행복하고 즐거운 계획을 통해 가족을 구성하길 바란다.

2. 가족의 역할

앞서 아내의 이야기에서 나타났듯이 일반 가정과 다르게 아내의 임신 기간 중이나 출산 시기에 남편은 시합, 전지훈련 등으로 곁에 있어 주지 못해 아내들은 홀로 모든 걸 감당해야만 했다. 임신과 출산으로 인해 감수하는 것은 모두 아내 몫이다. 최근 사회적 인식이 많이 변하여 남편이 많은 부분을 분담하지만, 그 한계가 있다. 특히나 엄마의 뇌는 아빠의 뇌보다 아이의 울음소리에 더욱 민감하게 반응하는 것처럼 아내는 출산함과 동시에 육체적으로나 정신적으로 아기에게 몰입될 수밖에 없다. 이처럼 엄마와 아빠의 생리학적인 역할은 분명 나누어 볼 수 있다. "자녀 계획에 있어서 육아를 어떻게 담당할 것인가?" 구체적인 역할 분담은 필요한 부분이다. 살아온 환경과 가치관에 따라 육아하는 방법도 다를 수 있다.

여기에서 살펴보아야 할 것이, 역할과 일이다. 공동으로 부여되는 역할은 바로 부모의 역할이고 아내의 역할, 남편의 역할이다. 가장 흔한 논쟁으로 "남자는 밖에서 경제활동을 하므로 집에서는 여자가 집안일을 해야 한다." 반대로, "여자는 육아와 집안일을 하므로 남자는 밖에서 돈을 벌어야 한다."라는 생각은 여성과 남성을 기준으로 논쟁하게 된다.

사회 인식변화와 함께 남, 여의 성별과 관계없이 육아를 담당하는 모습을 볼 수 있다. 과거에서부터 여성과 남성의 역할이 구분됐지만, 저자는 일(job)과 역할(role)로 구분해 보았다. 일은 단순한 육체적 노동이며, 경제적 가치를 생산 또는 유지한다고 볼 수 있다. 역할은 가정에서 지켜야 할 규칙이라 할 수 있다. 예를 들어 단순한 노동으로 힘을 써야 하는 일, 또는 경제적 이익을 목표로 지속해서 이루어지는 일을 들 수 있다. 역할은 규칙적인 모유 수유는 엄마의 역할이며, 아빠는 모유 수유가 끝난 다음 트림을 시키는 역할을 들 수 있다. 이러한 구분은 부부가 상호 긍정적인 협정을 맺어 평화를 유지하기 위함이다. 꼭 일과 역할을 구분하지 않아도 좋다. 부부가 서로 합의 가능하고 협상이 가능한 내용을 중심으로 역할 또는 일을 분담해 보는 것이다.

이 책은 복싱선수 아내의 사회적 역할을 주된 내용으로 볼 수 있는데, 가족 구성원으로서의 일과 역할은 시대의 흐름과 부부의 의사결정에 따라 부여될 것이다. 다시 말해 일과 역할을 어떻게 구분하고 분담할지는 부부의 의논이 필요하다.

살아온 환경도 다르며, 직업, 개인의 성향 등등 고려해야 할 상황이 너무 많아 그 기준을 제시하기란 쉬운 일이 아니다. 맞벌이하는 부부가 늘어남에 따라 이러한 역할과 할 일을 정해서 약속하는 것이 필요하다. 결혼 전과 후를 기점으로 부부의 일과 역할을 분담해 보자. 이 과정에서 절대적으로 평화롭게 조율해야 할 것이다. "이 모든 게 가족을 위한다"라는 생각을 절대 잊어서는 안 된다. 본인이 하지 않으면 누군가는 해야 한다. 상대방의 희생을 바라기 전에 '자신이 먼저 희생해야 한다'라는 것을 너무 많이 들어 알고 있지만, 쉽지 않다는 것 또한 알고 있다. 역할과 일의 분담은 부부가 가장 즐겁고 평화로울 때 작성해 보길 바란다.

저자의 가정을 예로 들어보자면 크게 집안에서의 역할과 밖에서의 일로 구분해 볼 수 있다. 집안에서의 역할은 집 청소, 자동차 관리, 육아, 빨래, 설거지, 요리, 장보기, 분리수거 등이 있다. 가정환경에 따른 가사 노동은 다양할 것이며 이러한 가사 노동을 적절하게 분담하여 진행할 수 있다. 저자의 경우 집안에서 모든 역할을 함께 한다고 생각한다. 저자는 가끔 설거지도 하고, 빨래도 널고, 욕실 청소도 하고, 요리도 한다. 이는 저자가 아내와 의논하지 않고 가정에서의 역할을 나도 같이 분담하겠다는 생각이다. 문제는 지속해서 더 많은 것을 요구해 감당이 안 될 때가 있어 "아주 가끔 집안일을 돕겠다"라고 이야기했다. 막상 역할을 분담하려 해보니 감당이 안 되는 상황까지 가버렸다. 결국 집안일을 두고 서로 적절한 타협이 필요했다. 아내도 경제활동을 하고 싶어하지만, 알뜰히 가정을 꾸려가는 것도 경제활동의 한 부분이라고 본다. '잘 버는 것보다, 잘 쓰는 것이 중요하다'라고 알고 있다. 그래서 큰 금액은 아니지만 모든 경제권은 아내에게 넘겨주었다. 지극히 이는 저자의 기준과 생각으로 진행하였다.

너무 세부적인 기준과 방향을 제시할 때 각기 다른 상황과 환경이 있으므로 상황에 맞게 역할 분담을 해보길 바란다. 추가로 이야기하자면 경제권을 누가 갖느냐도 논의될 수 있다. 여성의 사회 진출과 경제활동의 증가로 인해 경제권을 주도하는 여성이 늘어난 것이 분명하다. 모든 수입과 지출을 관리하는 것은 필요하다. 부부에게 있어 경제 문제는 시한폭탄과 같다고 생각한다. 언제 어느 순간에 어떻게 터질지 모른다. 그래서 돈이 관련된 사항은 항시 상의해야 할 것이며, 돈을 관리하는 역할 분담도 분명 필요할 것이다.

3. 복싱선수 가족의 확장

앞서 가족의 의미와 구성 그리고 역할에 대해서 살펴보았
다. 혈연으로 구성된 가족의 개념에서 오랜 시간 함께 동고
동락하며 지내온 운동선수들은 기본적인 가족의 구성원(부
모, 형제)보다 많은 시간을 함께 보낸다. 즉, 함께 운동하고
밥을 먹고 잠을 자는 선수들이 가족의 의미로 확장됨을 알
수 있다. 동료 운동선수들은 서로 끈끈한 연대와 깊은 관계
를 유지하는 과정에서 서로를 가장 잘 이해하고 함께 고생하
며 동질감이 형성되어 있다. 결혼 후에도 동료의 관계 속에
서 복싱선수 아내들의 고충을 통해 가족의 확장된 개념을 알
수 있다.

"그 사람들(직장 운동선수) 매일 집으로 남편이 초대해요. 절
힘들게 해요. 매일 데리고 와서 매일 늦게까지 술 먹고 짜증 나요.
가끔이 아니고 일주일에 3~4번씩 그렇게 해봐요. 밥 먹자 했으면
밥만 먹으면 되는데 3~4시까지 술 먹는데 힘들죠. 처음에는 밖에
안 나가니깐, 제가 남편이 밖에서 술 먹는 걸 싫어해서 집에서 술
먹고 하는 건, 처음에는 이해하고 그랬는데 계속 그러니깐, 배가
점점 나오고 몸이 힘든데. 나를 생각 안 해주고 너무 자기 후배들
만 생각하는 거예요. 사람들 데리고 와서 밥해주고 밥 먹고 하는
건 좋아요. 둘이 밥 먹는 것보다 여러 사람이 밥 먹으면 맛있고 좋
잖아요. 근데 저보다 후배들이 먼저인 거 같고 전 신경도 안 쓰는
거 같아서 속상하죠. 그래도 전 남편 하나 보고 여기까지 올라왔는
데. 후배들이랑 살지 왜 저랑 사는지 모르겠어요."

"마누라 생일도 모르는데 선배 생일은 잘 챙겨요. 스승의날은
잘 챙기면서, 어버이날은 또 가볍게 생각하고, 밖에서는 잘하는지
모르겠지만, 집에서는 완전 엉망이에요. 밖에서 하는 만큼 집에서
반만 해도 잘할 건데, 또 시댁이든 친정이든 가면 간다고 이야기도
안 하고 감독님한테는 철저하게 보고하고, 누가 가족이고 누가 남
인지 모르겠어요. 직장생활의 연장선이라고 하는데, 한 번씩 서운
하다니까요."

가족이란 가족 구성원 개개인이 모여 물리적·정신적 공간
을 함께 공유하는 단순한 집합체일 뿐만 아니라 세대를 거듭
함에 따라 그들 고유의 가족문화를 소유함으로써 가족의 규
범, 역할, 권위구조, 대화 형태, 가족 구성원 간의 협동과정,
문제해결 등 여러 과업을 효율적으로 수행하는 자연스러운
사회체계이다.[33] 대부분 운동선수는 동료 선수들과 물리적·

정신적 공간을 함께 공유하고 있다. 운동선수 그들만의 규범, 역할, 구조, 대화 형태를 구성하여, 가족과 흡사한 의미의 문화를 형성한다. 분명 가족과 직장동료의 명확한 구분이 필요한 상황에서 운동선수가 생각하는 가족의 의미와 아내가 생각하는 가족의 의미는 서로 다를 수가 있다. 오랜 시간 동안 운동을 함께하는 선수를 가족처럼 생각하거나 그 이상으로 생각하는 부분에서 발생하는 아내와 충돌은 전적으로 남편이 해결해야 할 부분이다. 운동선수이자 동료의 역할도 중요하지만, 남편과 가장으로서 아내의 고충을 헤아리고 가족을 위한 남편의 역할에 최선을 다하는 부분도 필요하다고 본다.

운동선수의 문화는 단단히 고착되어 쉽게 변화를 일으킬 수는 없겠지만 아내는 운동선수의 삶과 문화를 이해해야 할 것이다. 그렇다고 무조건 수용하고 이해해야 한다는 것은 아니다. 운동선수를 이해함으로써 운동선수 문화로 이어지는 마찰을 최소한으로 할 수 있으며, 상대를 이해하는 것은 소통에 더욱더 효과적이기 때문이다. 운동선수 모두가 위의 상황에 해당하는 것은 아니다. 가족을 더욱 소중히 여기는 선수들도 있을 것이고, 운동선수는 아내에게 더욱더 깊은 관심과 사랑을 아낌없이 주어야 할 것이다.

---

33) 김혜정, 2001

PART 3. 복싱선수 부부의 결혼생활

현대적 의미에서 결혼이란 적절한 나이에 도달한 남녀가 자유로운 이성 교제를 통해 애정과 신뢰를 확인하고 자유의 사에 의하여 정신적, 육체적으로 결합하는 것을 의미한다. 또 한편으로는 성인 남녀가 그들이 거주하는 사회의 법률에 따라 정서적 관계와 서로에 대한 법적 책임, 공적인 의식을 갖는 하나의 합의이다.34) 모든 결혼은 혼인신고가 있어야 하

---

34) 김정옥, 2004

며, 이것은 재산의 양도를 규정하고 자녀를 적출로 인정한다. 이것은 남녀 두 사람의 결합이라는 단순한 의의와 더불어 가족과 사회집단 유지에 이바지하는 제도적 의의를 지니게 된다.35)

우리는 드라마 및 영화와 같은 대중매체를 통해 다양한 결혼생활을 간접적으로 경험하게 된다. 대중매체를 통한 결혼생활은 행복한 모습뿐만 아니라, 그렇지 못한 모습도 번번이 볼 수 있다. 결혼 전 예비부부는 긍정적이고 아름답고 행복한 결혼생활을 꿈꾸는 것은 지극히 당연하다고 볼 수 있다. 자신이 생각하는 결혼은 어떠한 의미가 있는지, 그러한 결혼이 자기 삶에 어떠한 영향을 미치는지도 한번 고민해 볼 필요가 있을 것이다.

---

35) 이정덕, 외 2003

1. 결혼에 대한 환상

"결혼은 지금보다 더 나은 상황이 될 것이다"

N포세대를 살아가는 청년으로 결혼에 대한 긍정적이고 희망적인 기대보다는 현실적인 한계와 어려움에 직면하며 살아가고 있다. 현실의 어려움과 걱정은 비혼의 선택이라는 결과로 나타나기도 한다. 반대로 결혼을 계획하고 결혼을 앞두고 있다면, 성별과 상관없이 누구나 '지금보다 더 나은 상황'으로의 기대와 희망 가득 찬 결혼생활을 꿈꿀 것이다.

결혼은 육체적으로나 정신적으로 안정을 찾고, 새로운 삶을 살아가는 데 필요한 크고 작은 목표를 설정하고 공유하는 것이다. 복싱선수 아내들에게 결혼은 항상 행복할 것 같은 낭만적인 사랑과 남편을 기대했지만, 앞으로 전개될 결혼 후 현실은 기대와 다른 부분으로 아내들이 포기하거나 잃어야 하는 것들에 대해서 볼 수 있다.

복싱선수 아내들은 결혼과 남편을 부정하는 것은 아니라고 말하지만, 운동선수 아내라는 이유로 많은 것을 포기해야 한다는 인식이 크게 자리 잡고 있었다. 분명 다른 평범한 아내들도 느낄 수 있는 감정이지만, 운동선수라는 특별한 직업으로 인해 아내는 더욱 크고 특별하게 느끼는 것이 아닐까.

"제가 상상했던 것에서 드라마 같은 것으로 생각했어요. 결혼 전에는 여자들의 환상이죠, 매일 좋을 것만 같고 매일 웃고 행복할 거 같은…."

"결혼은 일생일대 단 한 번뿐인 가장 아름다운 것으로 생각해요"

"결혼은 혼자가 둘이 되면서 기쁨도 두 배, 슬픔은 반으로 나눌 수 있는 유일한 인생의 동반자를 확정하는 날이니까요. 인생에서 행복한 결혼을 꿈꾸는 건 당연한 게 아니겠어요?"

결혼생활에 대한 의미는 개인의 주관적이다. 낭만적인 사랑을 꿈꾸며, 멋진 배우자를 선택하고, 자신을 가장 아름다운 신부의 모습으로 그리며, 경제적으로 여유로우며, 남부럽지 않은 결혼생활을 꿈꿔 왔을 것이다. 이처럼 누구나 환상 속 삶의 안정과 미래를 함께 만들어 가고자 하는 기대가 있는 것이다. 복싱선수 아내들도 결혼은 긍정적인 기대로 멋진 환상과 같은 결혼생활을 꿈꾸고 있었다. 하지만 현실은 결혼이 행복할 것이라는 믿음에 비례하여 다양한 문제들이 나타났을 때 쉽게 불행으로 이어지게 된다. 예비부부는 결혼을 준비하는 과정에 크고 작은 충돌과 스트레스를 받게 된다. 사랑이라는 행복한 감정은 어느 순간 사라지고 자신의 기준에 맞추면서 서로에 대한 사랑과 신뢰에 금이 생기기도 한다. 그뿐만 아니라 그들의 삶에 가족(부모, 친척)이 더해지면서 그들의 이견을 좁히기가 더욱 어려워지게 된다.

결혼에 대한 환상은 사회가 요구하는 기준이 된다고 볼 수 있다. 안정적인 경제력, 학벌, 성격 등 결혼 전 생각하는 다양한 기대감과 환상은 현실적으로 남성과 여성이 갖추어야 할 기준과 조건이 되어버린 것이다. 그렇지 않은 예도 있다. 최근 결혼에 대한 트렌드가 많이 변화해서 동등한 조건과 입장에서 서로의 가치관을 공유하고 조율해 결혼을 결정하게 된다. 결혼의 환상에서 현실로 변해가는 속에서 변하지 말아야 할 것은 보이는 것보다 보이지 않는 것이 더욱 중요하고 소중하다고 생각한다. 상대를 배려하는 마음, 사랑하는 마음, 아끼는 마음은 볼 수 없지만 그러한 마음이 가장 중요하고 소중하다는 것이다. 이러한 마음을 서로 확인하는 것보다 보여주기 위한 노력이 더욱 필요하지 않을까?

지금 옆에 있는 배우자 또는 연인에게 물어보자.

"어떠한 결혼생활을 꿈꾸었나요?", "나에게 결혼이란?"

위의 질문은 연구 당시 복싱선수 아내들에게 던진 질문이다. 처음에는 형식적이고 보편적인 대답을 들을 수 있었다. 평범하게 살고 싶다거나, 개인 성향에 따라 각자가 이루고 싶은 가정이 있다는 이야기를 들을 수 있었다. 이를 바탕으로 복싱선수 아내가 원하는 결혼생활을 크게 내적 대답과 외적 대답으로 구분하였다. 내적 대답의 예시는 다음과 같다.

"부부가 되면 소통이 잘되고, 서로의 마음을 잘 이해하고 배려해 주는 그러한 결혼생활을 원해요", 혹은 "서로 힘들 때 믿고 의지할 수 있는 그런 사람?"

면담과 같이 '감정'의 충족과 만족을 기준으로 정서적 안정을 추구하는 대답을 들을 수 있다. 다음은 외적 대답의 예시다.

"저는 우리가 처음 시작할 때는 조금 더 안정적인 상황을 원해요", "우리 부모님과 가까운 곳에 살았으면 좋겠어요.", "아기는 1명만 낳고 싶어요", "매일 아침은 꼭 먹었으면 좋겠어요."

이처럼 조금 더 구체적이고 현실적인 대답도 볼 수 있다. 각자 개인이 생각하는 결혼에 대해서는 옳고 그름의 기준도 없으며, 무엇이 정답인지 알 수는 없다. 중요한 것은 결혼에 대한 환상과 기대가 너무 높거나 서로 다르다면 신중히 고려해 볼 상황이다. 결혼에 대한 기대와 환상은 현실 속에서 충돌의 시작점이 될 수도 있다. 그렇다고 결혼의 현실과 환상의 갈림길에서 걱정하거나 고민할 필요는 없다. 완벽하고 철저한 계획과 준비가 되어있더라도 환상과 현실은 분명 다른 것이다. 이것을 예측한다면 부부가 경험하게 될 현실 속 문제를 더욱더 현실적으로 잘 극복해 갈 것이다. 결혼 후 부부가 생각하는 환상을 하나씩 만들어 가는 것이 가장 이상적이면서 현실적인 결혼생활이 아닐까.

"사랑하는 사람을 바꾸는 것 보다, 사랑하는 사람을 바라보는 자신의 기준과 생각을 바꾸자"

결혼을 생각하는 배우자가 있다면, 결혼에 관한 대화를 나누는 것을 추천한다. 결혼에 대한 가치관과 계획을 바탕으로 준비가 되어있다면, 결혼의 현실에 부딪히게 되었을 때 빠르게 대비하고 문제를 해결할 수 있을 것이다. 결혼에 관한 대화를 나누었을 때 원활한 대화가 이루어지지 않거나 이견을 좁히지 못해 다투게 된다. 이와 같은 상황은 저자의 경험으로 미루어 보아 평소 다툼과 다르게 자존심과 마음의 상처를 받게 된다. 진정 결혼을 생각했다면 자신의 결정을 믿고 끝까지 대화를 지속해 가길 바란다. 자신이 사랑해서 결혼을 생각한 배우자라고 한다면, 자신이 가지고 있는 기준과 비교해 서로에게 상처를 주기보다는 자신이 가지고 있는 생각과 기준을 조금만 바꾼다면 더욱 아름다운 결혼생활이 될 것으로 생각한다.

결혼을 준비하는 과정에서도 서로를 배려하며 양보해야 한다. 어느 한쪽만 양보한다면 결혼 후에도 자신이 포기한 만큼 이득을 취하려 할 것이다. 서로를 배려하며 "어떻게 하면 우리의 결혼생활이 더욱 행복해질까?" 하는 즐거운 생각으로 결혼을 준비해 가기를 바란다.

"결혼 준비는 서로를 바라보는 것이 아니며,
공동의 목표를 향한 출발을 함께 준비하는 것이다."

2. 결혼의 현실

　결혼 선배들은 이야기한다. "결혼의 현실은 전쟁으로 다져진 전우애로 살아간다.", "결혼은 전우애로 살아간다.", "사랑이라는 단어가 어색하지만, '사랑한다.'"라는 이야기가 도무지 이해할 수 없었다. 그뿐만 아니다. "결혼은 전쟁이다.", "결혼은 의리다.", "결혼은 최대한 늦게 해라", "결혼보다 혼자 사는 게 더 좋다." 등과 같은 수많은 이야기를 들을 수 있었다. 주변에 결혼한 사람들의 10명 중 8명은 결혼을 반대한다. 대학 졸업 이후 바로 결혼 하고 싶었고, "결혼의 시작과 끝에는 항상 사랑이 필요하다."라고 생각하는 부정적인 결혼생활은 받아들이기 힘들었다. 한편으로는 환상과 기대 가득 찬 결혼이 현실에 직면했을 때 사랑을 찾아볼 수 있을지 걱정이 되기도 했다.

　앞서 복싱선수 아내들의 결혼에 대한 환상을 볼 수 있었다. 결혼 준비에서부터 가장 이상적으로 행복한 결혼을 위해 무엇을 고려하고 무엇을 생각하는지, 수많은 기준과 잣대를 놓고 배우자를 결정하고, 희망과 기대 가득 찬 결혼을 시작하게 된다. 러시아의 한 속담에 "바다에 나가기 전에 한 번 기도하고, 전쟁에 나가기 전에는 두 번 기도하고, 결혼하기 전에는 세 번 기도하라"라는 말이 있다. 그만큼 결혼은 신중

해야 하는 것을 보여준다.36)

앞서 언급하였듯이 결혼에 대한 신중함이 부족해서인지, 혹은 환상과 같은 기대와 현실의 차이로 인해서인지 현대 사회에서 많은 부부가 이혼을 선택하게 된다. 결혼의 현실에서 성공과 실패의 기준이 바로 이혼 여부가 아닐까. 이혼 자체가 '실패'라는 낙인이 찍혀 다들 이혼을 꺼리는 경우가 많았지만, 실로 많은 부부가 이혼을 선택하고 있다. 통계청에 따르면 2019년 이혼 건수는 약 11만 건이다. 혼인 건수 약 24만을 보았을 때 약 45%에 가까운 이혼율을 볼 수 있다. 이는 열 커플이 결혼하면 네 커플은 이혼한다는 이야기이다. 이혼에 있어 수많은 원인을 찾아볼 수 있지만, 결론적으로 이혼한다는 것은 그만큼 개인의 정신적 신체적 낭비가 크다고 볼 수 있다. 현실적인 부분으로 개인의 가치관, 성격, 가정환경, 경제력, 가족 등과 같이 서로 다른 삶을 살아온 사람이 하나의 가정을 이루고 이끌어 간다는 것은 정말 쉬운 일이 아니다. 다시 말하자면, 자신이 생각한 환상 및 이상과 다른 배우자로 인해 다툼이 시작되고, 그 다툼의 합의점을 찾지 못하게 되면 결국 이혼을 선택하게 된다는 것이다. 개인이 갖는 환상 속 의미는 수많은 것들이 담겨있기에 그러한 환상과 현실이 충돌하면서 발생하는 다툼, 아픔, 슬픔으로 인해 결국, 상처만 남게 되는 것이다.

복싱선수 아내들도 결혼에 대한 환상을 갖고 있었지만, 환

---

36) 남상임, 2004

상과 다른 결혼의 현실을 받아들이고 있었다. 환상이라는 단어 자체가 현실적으로 가능성이 없는 생각을 말하는 것으로, 환상을 살아간다는 것이 비현실적인 일일 수도 있다. 환상 즉, 기대가 클수록 그 실망감과 좌절감도 비례적으로 나타날 것이다.

여기에서 이야기하는 결혼이 너무 부정적인 현실을 표현하고 있어 자칫 결혼에 대한 거부감과 걱정이 늘어날 수도 있다. 반대로 분명 행복한 결혼생활을 하는 부부들도 존재한다. 결혼에 대한 환상이 개인마다 다른 기준과 가치관을 바탕으로 형성된 것이기 때문에 결혼에 대한 환상과 기대는 그릇된 것이 없다고 생각한다. 중요한 점은 이러한 상황(환상과 현실의 충돌)을 어떻게 대처하고 극복해 나갈 것인지 지혜롭고 명확한 방향이 필요한 것이다.

다음으로 복싱선수 아내의 경우 결혼생활의 현실에서 잃어야 하는 것들을 볼 수 있다. 특히 운동선수와의 결혼은 잃는 것이 더욱 많다고 이야기한다. 운동선수라는 부분에서 가장 크게 문제가 되는 부분은 '직업'이다.

> "결혼 자체는 긍정적인데 다만 여자의 희생이 엄청나게 따른다는 걸 결혼하고 나서 알았어요. 운동선수랑 상관없이 (중략….) 운동선수랑 결혼했다면 더욱 희생하는걸요…. 시간과 자유, 제가 잃는 게 많으니까. 하다못해 남편이 여자 직장을 따라 오는 예는 없잖아요. 운동선수 같은 경우는 직장을 여기저기 옮겨 다니는데 아내는 얼마나 힘들겠어요."

모든 아내는 결혼 후에 가정이 경제적으로 안정적이거나, 시댁과 떨어져 있고, 친정과 가깝고, 결혼 전 여성의 직업과 삶을 유지하고 싶은 마음이 가득할 것이다. 결혼 후 현실은 이처럼 기대했던 결혼의 환상을 뒤로한 채 결혼 전 예상하지 못했던 다양한 역경이 기다리고 있음을 알게 된다. 위의 면담 내용을 조금 더 구체적으로 살펴보자.

　결혼은 누구에게나 희생이 따를 수도 있다는 내용으로 '결혼'이라는 제도를 이야기하고 있다. 운동선수가 아니어도 결혼으로 인해 아내에게 희생이 따른다는 의미이다. 복싱선수 아내들이 이야기하는 희생의 의미는 크게 2가지로 정리해 볼 수 있다.

　첫 번째는 남편의 직장을 따라다녀야 한다는 것이다. 결혼으로 인해 직장을 그만두고 남편이 있는 곳으로 거주지를 옮기는 것이 가장 먼저 경험하게 되는 희생이다. 복싱선수의 경기력과 경기 결과에 따라 짧게는 1년 길게는 2~4년 정도 소속 팀과 재계약을 하는데, 이때 소속팀이 변경되거나 계약 못 하는 경우도 거주지를 옮겨야 한다. 운동선수뿐만 아니라 일정한 근무 기간이 지나면 지역을 옮겨야 하는 직업이 있으며, 정규직과 같이 안정된 직장을 가질 수 없다면, 모든 아내가 빈번하게 경험하는 부분이라고 볼 수 있다.

　생활의 터전을 결정하는 것은 여성이든 남성이든 경제활동을 하는 쪽을 따라 거주지를 옮기게 된다. 대부분 맞벌이하는 부부의 경우에는 소득이 높은 쪽으로 거주지를 결정하게 되거나 혹은 주말부부 생활을 통해 부부 모두의 경제활동을 유지하기도 한다. 이는 지극히 자연스러운 일이다. 과거에는 경제활동을 주로 남성이 해왔기 때문에, 결혼 후 남편의 직장을 따라 거주지를 옮겨야 했다. 복싱선수 아내도 결혼으로 인해 결혼 전까지 일궈왔던 삶의 터전을 포기해야 하는 것이 '희생'이 되어버린 것이다.

두 번째는 결혼으로 인한 경제활동 중단이다. 결혼 후 남편을 따라 직장을 그만두거나, 또는 임신으로 인해 직장을 그만두어야 하는 상황으로 결국, 여성의 경력 단절로 이어지게 된다. 여성의 경력 단절이란 결혼, 임신 및 출산, 육아, 자녀 교육으로 인해 직장을 그만둔 여성을 말한다. 경력 단절 여성이 재취업에 성공하였다고 하더라도 일·가정 양립에 갈등이 생기거나 불안정한 일자리인 경우가 대부분이다.37)

종합해 보면 결혼 후 아내의 희생은 육체적, 심리적, 경제적인 부분을 이야기하고 있음을 알 수 있다. 이와 같은 결혼으로 인한 희생의 결과는 현대 여성이 결혼을 미루거나 하지 않는 가장 큰 이유로 볼 수 있다. 과거와 비교하면 결혼 후 육아와 가사를 분담하거나 육아를 담당하는 남편들이 늘어나고 있지만, 아직도 남자는 일터, 여자는 가정이라는 고정관념 속에서 벗어나지 못하고 있었다.

복싱선수 아내의 결혼 후 현실은 여느 아내들과 같은 고민과 걱정 속에 살고 있음은 물론이며, 환상과 다른 남편의 모

---

37) 최미향, 2019

습, 임신으로 인한 결혼, 운동선수의 결혼식, 사랑과 대화의 부재, 불규칙하고 간섭받는 생활 등을 살펴볼 수 있다.

1) 환상과 다른 배우자

"희망사항 : 이상형"

7포 세대, N포세대와 같이 요즘 청년들이 포기하는 것 중 하나가 바로 결혼이다. 결혼을 포기하거나 이혼과 별거가 증가하고 있는 이유 중 하나는 개인적 기준과 현실에서 생기는 괴리에 의한 것으로 볼 수 있다. 즉, 배우자의 선택 기준과 자신이 생각했던 기대감을 현실에서 충분히 만족시키지 못한 것이 아닐까. 흔히들 하는 이야기이지만, 완벽한 이상형은 만날 수도 없으며, 결혼한 부부 모두 자신의 이상형과 완전히 다른 사람이라고 이야기한다. 결혼생활은 외모, 성격, 능력 등과 같이 어떠한 배우자를 선택하는가에 따라 달라짐으로 배우자 선택은 무엇보다 중요한 것임이 틀림없다.

결혼하는 데 있어 각자가 살아온 문화적 기준은 다양하며, 결혼상대자를 선택하는 과정에 개인이 가진 자유의 정도는 그들이 속한 문화에 좌우된다.[38] 다시 말해 개인이 살아오면서 형성된 삶의 문화와 가치관 등이 배우자를 선택하는 데

---

38) 김정옥, 2004

중요한 요인이 될 수 있다는 것이다.

다음은 복싱선수 아내가 생각하는 환상 속 배우자에 관한 면담 내용이다.

"당연히 있죠. 경제적으로나 외모나…. 어떠한 사람이랑 결혼하 겠다는 기준은 있었는데, 지금 남편이랑 결혼할 줄은 몰랐죠…. 임 신하는 바람에…. 근데 딱히 기준이라는 게 있겠어요? 사람만 좋으 면 되죠…. 성격 좋고 마음만 잘 맞으면 되는 거죠."

"저는 2세를 생각해서 키는 175가 넘어야 하고, 아들은 운동신 경이 타고나고 딸은 예술적 감각이 뛰어나면 좋을 거 같아요. 그러 고 보니 자녀를 기르는데 의견이 맞는 사람이 좋을 거 같아요"

"(경제적으로) 조금 안정적인 사람이었으면 좋겠다고 생각했어 요. 경제적으로 안정적이어야 다툼도 적고, 외모나 성격은 다 비슷 하다고 생각해요"

결혼은 개인적으로나 사회적으로나 중요한 의미를 지닌다. 개인적으로 자신의 욕구를 충족하며 사회적으로 기존체제의 재생산과 사회질서 유지를 위한 역할을 담당하며, 배우자 선택은 만족스러운 생활을 통해 얻을 수 있는 정신적, 육체적 만족감을 증대시킨다.[39] 남성이 배우자를 선택하는 기준에 대해서 '얼굴이 이쁘면 3개월', '마음이 착하면 3년', '요리 잘하면 30년'이라는 속설도 있다. 이처럼 배우자 선택을 사회에서 통용되는 기준에 따르거나, 환상 속 그나, 그녀를 만나기 위해 많은 시간을 흘려보낸다. 때로는 개인과 사회의 기준에 맞는 배우자를 만나지 못해 결혼 시기를 놓치거나 포기하는 예도 있다.

---

39) 한국웨딩학회편, 2010

결혼하고자 하는 의지가 있다면 그나마 다행이다. 배우자에 대한 기준에 맞추어서 결혼할 수도 있지만, 앞서 언급하였듯이 다양한 이유를 바탕으로 결혼 자체를 포기하는 경우가 대부분이다. 결혼을 포기하는 비혼주의나, 이혼은 요즘 사회에서 크게 문제시하지 않는다. 과거에는 혼자 사는 사람을 부정적으로 바라보았다면, 현재는 비혼이나 이혼에 대한 상황들이 보편적으로 받아들이고 있다. 더욱이 개인의 삶을 중요시하고 경제적 부담을 덜기 위한 선택으로 이 모든 걸 인정하는 것이다.

복싱선수 아내들은 비록 환상과 다른 배우자를 만났지만, 끝까지 함께 살아가겠다는 의지를 볼 수 있었다. 이것이 중요한 맥락이라고 생각한다. 지금 옆에 있는 배우자나 애인은 자신의 이상형과 흡사한가? 전혀 다른가?. 배우자를 특정한 기준으로 결혼 전과 후로 나누어 생각하고 있다면, 다시 한번 생각해 보아야 할 것이다. 자신의 기준에 배우자가 50%만 충족한다면 가장 이상적이라는 이야기를 들어본 적도 있다.

연애를 하는 사람과 결혼하는 사람은 따로 있다는 이야기가 있듯이, 연애하는 건 너무나 즐겁고 성격도 잘 맞는다. 하지만 막상 이 사람과 결혼을 생각하면 문득 걱정과 함께 주춤하게 된다. 머리로는 너무나 완벽한 이상형이지만, 마음을 움직이는 데 한계가 있음을 알 수 있다. 생각과 마음의 차이를 보았을 때 생각은 충분히 학습된 기준으로 볼 수 있으며, 그 기준은 변화될 수도 있고, 스스로 바꿀 수 있다고 생각한다. 즉, 가장 우선으로 머리가 아닌 가슴으로 상대방을 바라보며, 다음으로 자신이 생각하는 기준과 조건에 맞는 자기 모습을 한번 돌아보는 것이다. 행여 자아 성찰 과정에서 타인과 비교해 자존감을 낮추거나 현실을 한탄하고 비혼을 선택해선 안 된다. 욕심을 내고 열심히 자신을 가꾸고 만들어 가면 된다. 그 과정을 알아주는 사람이라면 충분하다고 생각한다. 옆에 있는 사람이 존재 그 자체만으로 소중한 사람이라면 나머지는 함께 만들어 가면 되지 않을까? 너무 이상적이고 현실적이지 못하다고 할 수 있지만. 내가 봐오고 내가 경험한 바로는 그렇다.

가수 변진섭의 '희망 사항'이라는 노래가 있다. 노래 가사를 살펴보면 '청바지가 잘 어울리는 여자', '밥을 많이 먹어도 배 안 나오는 여자', '김치볶음밥을 잘 만드는 여자' 등과 같은 희망 사항을 이야기한다. 이 노래의 마지막 반전 가사는 다음과 같다.

"여보세요 날 좀 잠깐보세요. 희망사항이 정말 거창하군요.
그런 여자한테 너무 잘 어울리는 난 그런 남자가 좋더라."

결혼을 선택하는 데 있어 절대적인 기준보다는 최소한의 기준으로, 자신의 가치를 높여 이상형에 가장 잘 어울리는 자신이 되는 것이 중요하지 않을까?

2) 임신과 결혼

"오빠 믿지? 손만 잡고 잘게"

남녀칠세부동석(男女七歲不同席)이라는 말을 아는가? 남녀는 7세가 되면 자리를 같이 앉지 않는다는 옛말이다. 현대 사회에서 성과 관련된 다양한 미디어의 노출로 성에 대한 인식이 많이 바뀌었다고 볼 수 있다. 성에 대한 잘못된 인식으로 나타나는 사회적 문제는 흔히 볼 수 있다.

최근 아르헨티나에서 낙태 합법화가 통과되었다. 낙태와 관련해 지금까지 세계적으로 많은 관심을 받아왔으며, 아직 해결하지 못한 사안들이 있다. 사회적으로나 윤리적으로 무엇이 옳은가에 대한 토론의 공방 속에서 낙태를 법으로 결정하고 보호받는 것은 쉬운 일이 아니다. 국내법으로는 '모자보건법 제14조(인공임신중절수술의 허용한계)' ① 의사는 다음 각호의 어느 하나에 해당하는 경우에만 본인과 배우자(사실상의 혼인 관계에 있는 사람을 포함한다. 이하 같다)의동의를 받아 인공임신중절수술을 할 수 있다.

임신이란 것은 인간의 종족 보존과 자손의 번창을 위한 일차적 과정이라고 할 수 있다.[40] 결혼의 이유와 임신의 목적은 이어질 수도 있고 그렇지 않을 수도 있다. 임신이 먼저인

---

[40] 한국웨딩학회편, 2010

지 결혼이 먼저인지 현대 사회에서는 중요하지 않다. 선택할 뿐이다. 과거에는 임신을 하면 결혼해야 한다는 인식이 강했다. 2021년부터 낙태를 해도 처벌받지 않는다. 처벌받지 않는다고 해서 합법도 아니다. 낙태죄가 무효가 된 상황에서 처벌을 못 하는 상황이다. 단편적으로 임신을 해서 결혼해야 한다는 상황은 줄어들었다고 볼 수 있다. 과거에는 계획이 없던 임신으로 인해 계획에 없던 결혼이 성사되기도 했다. 또한 혼전 임신으로 인해 발생하는 다양한 사회적 문제들도 볼 수 있다. 시대의 변화에 따라 혼전 임신을 당당하게 밝히고, 임신을 혼수로 여기는 부분도 있지만, 이는 서로가 원했거나 결혼과 출산, 육아에 대해 충분히 준비된 상황에서나 가능한 일이다.

복싱선수 아내의 경우에는 혼전 임신으로 결혼하게 되고, 그 아기로 인해 경제적으로 심신의 어려움을 겪고 있음을 알 수 있었다.

"전 솔직히 애만 없다고 한다면 남편한테 맞춰지든 저한테 맞춰지든 아무런 상관이 없거든요? 근데 어느 정도 계획된 상태에서 아이가 태어나고 계획이 있었다면 사는 게 이렇게 정신없진 않았을 것이고 힘든 것도 덜 느꼈을 거 같은데 갑작스럽게 일이 일어나버리니깐 그것 때문에 더 힘들어요…. 준비되지 않은 상황 때문에…. 너무 힘들어요."

"솔직히 아기한테 미안한 이야기인데, 아니 오빠한테 더욱 미안한 이야기죠. 처음에는 오빠랑 결혼할 생각이 없었어요. 만난 기간도 짧고 서로 안정적인 준비가 안 되었는데 갑자기 임신을 해서. "

연구에 따르면 대학생의 성(性)에 대한 태도는 대체로 개방적임을 알 수 있으며, 성 지식 중 성병이나 생식기 건강에 대한 지식은 양호하였으나, 피임에 대한 지식은 상대적으로 취약하였다. 성에 대한 다양한 정보(음란물접촉)와 첫 성관계가 과거에 비해 빠르게 일어나고 있는 상황에서, 단순한 쾌락에 집중되어 성폭력, 성매매, 낙태와 같은 성 문제로까지 이어지고 있는 것이 아닐까. 다시 말해 '사랑'이라는 단어에 포함된 성(性)을 바라보는 잘못된 인식을 바탕으로 그 '사랑'을 지속하거나 '쾌락'의 욕구만을 충족하기 위한 행동이 낳는 결과가 사회적 문제로 발생하게 되는 것이다.

성인의 사랑과 성관계를 통제한다는 자체가 불가능하지만, 적절하지 못하고, 잘못된 성인식으로 원치 않는 임신과 결혼

은 행복한 결혼과 미래를 장담하긴 어려울 것이다. 혼전 임신으로 열심히 잘 살아가는 부부들도 분명히 있다. 중요한 건 얼마만큼의 책임감이 있느냐 없느냐가 핵심이 아닐까. 더불어 충분한 대화를 통해서 준비하고, 사회 복지 및 주변의 도움을 적극적으로 받아야 할 것이다. 무엇보다 평소 연인과 올바른 성(性)인식과 및 성관계를 통해 깊은 사랑으로 결실을 보아야 할 것이다.

3) 운동선수의 결혼(결혼식과 신혼여행)

국내에서 가장 큰 스포츠대회는 매년 열리는 '전국체육대회'(이하 전국체전)이다. 전국체전은 100년이라는 역사를 가지고 현재까지 이어져 오고 있는 가장 권위 있고 중요한 대회다. 그만큼 많은 지도자와 선수들은 전국체전 입상을 목표로 하며 경기 결과에 따라 선수를 지속할 수도, 은퇴할 수도 있다. 그만큼 중요한 대회이기 때문에 결혼 날짜를 정할 때 나도 전국체전이 끝난 11월에 결혼을 희망한다. 꼭 이날이 아니어도 결혼은 할 수 있다. 대부분 운동선수 일정은 12월부터 3월까지 동계 훈련 기간이다. '5월의 신부'를 꿈꾸는가? 4월부터 본격적인 시합 시즌이다. 체중감량에 행여나 시합 때 얼굴에 멍이라도 들면 큰일이다. 7~8월은 하계 훈련 기간으로 일반적으로 더운 여름과 추운 겨울은 결혼을 꺼리게 된다. 9월부터는 10월에 있는 전국체전 대비 강화 훈련이 진행된다. 결국, 전국체전이 끝나는 11월이 가장 적절하다고 보는 것이다. 선수에 따라 팀에 따라 다르겠지만, 꼭 11월에 해야 하는 것은 아니다. 중요한 것은 운동선수들의 일정은 시합과 훈련에 맞추어져 있다는 점만 참고하면 되겠다.

결혼 날짜를 잡았다면 그다음은 결혼 비용이다. 결혼식을 치르기 위해 예식에만 지출하는 비용은 평균 2,000만 원으로 볼 수 있다. 지역에 따라 개인에 따라 천차만별로 달라지겠지만, 내가 결혼을 위해 여기저기 알아본 결과이다. 여기에는 신혼여행, 신혼집, 혼수를 제외한 금액이다. 나를 비롯해 많은 예비부부는 예식비용에 대한 부담을 줄이고자 라파엘웨딩, 스몰 및 셀프웨딩에 많은 관심을 보인다. 일생에 한 번뿐인 결혼식을 예쁘고 성대하게 하고 싶은 마음은 당연하다. 결혼식에 대한 의견충돌로 인해 서로에게 실망하거나 결혼을 포기하는 사례도 볼 수 있다.

참고로 나는 결혼을 준비하면서 단 한 번도 다투지 않았으며, 고작 500만 원으로 결혼을 준비했다. 추가로 비용이 조금 더 들긴 했지만, 더욱 비용을 절감할 수 있을 거 같다는 생각도 들었다. 실제로 그렇게 결혼하는 사람도 많이 보았다. 신혼여행은 결혼 전 일본에 다녀왔다. 그때 돈과 시간이 있어서 급하게 결정했다. 결혼식이 끝나고는 제주도에 다녀왔다. 분명 돈이 있다면 더 좋은 식장과 신혼여행을 갈 수 있었을 것이다. 하지만 단 한 번도 결혼식과 신혼여행에 대해서 후회해 본 적은 없다. 지극히 개인적인 생각이지만, 분명 아내도 나와 같은 생각일 것이다. 결혼 후 4개월 만에 청소를 걱정해야 할 정도의 집도 장만했다. 내가 일찍 결혼하지 못한 이유 중에 가장 큰 부분은 경제적 부족함이었다. 지금도 경제적인 고민을 하고 있지만, 큰 걱정은 없다. 충분히 대화하면서 하나씩 이루어 가고 있기 때문이다. 이제는 말할 수 있다. 결혼은 돈이 아니라 이해와 배려 그리고 믿음으로 한다는 것을.

복싱선수 아내의 경우 경제적 혹은 복싱대회(전국체육대회 및 국가대표선발전)로 인해 결혼식을 올리지 못했거나, 신혼여행을 가지 못한 부부도 있다.

> "먼저 경제적으로 여유롭지 못해서 미루고 있어요. 아기도 아직 어려서 친정이나 시부모님께 부탁하고 갈 수도 없는 상황이고…. 이렇게 될 줄은 몰랐죠. 결혼과 신혼여행은 아가씨가 가장 아름다운 모습으로 떠나는 마지막 여행인데 이미 끝난 거죠. 신혼이라는 것도 없이 그냥 지나간 거 같아요. 상황과 여유가 되면 식도 올리고 여행도 갈 생각이에요"

> "저희는 시간이 없어서 계속 미뤘어요. 임신해서 출산한다고 못 하고, 생각만 계속하고 있었죠. 어른들께서 빨리 식을 올리라고 하셔서 11월에 할 생각이에요. 다른 운동선수들도 뒤늦게 가는 경우가 많아요. 어쩔 수 없죠"

복싱선수 아내들을 비롯해 결혼 준비 과정에서 나타나는 문제로 인해 파혼하거나 이별을 맞이하는 상황에 놓일 때도 있다. 서로의 아름다운 모습과 행복한 미래를 생각하며 시작한 결혼 준비가 현실적인 문제에 직면해 사랑하는 사람과의 결혼을 포기해야 한다면 그것만큼 슬픈 일이 있을까? 결혼 준비 과정에서 결혼예식장 및 위치, 혼수 등 경제적인 가치는 개인마다 다양하므로 서로 다른 가치관과 기준을 가지고 있다면 그 기준에 있어 각자가 생각하는 결혼에 대해 의견을 나누고 다양한 부분에서 현실적인 방향과 해결책을 함께 마련해 가는 것이 가장 현명하다고 생각한다. "좋은 사랑은 복잡한 말로 시작되지 않아요"41)라는 말을 잘 생각해 보자. 좋은 사랑도 좋은 결혼도 모두 복잡한 말로 시작되지 않는 것으로 생각한다.

"좋은 사랑은 복잡한 말로 시작되지 않아요"

---

41) 정현주, 2013

4) 그래도 사랑이다

"행복한 결혼생활에 필수는 '사랑'이어야만 한다"

'행복한 결혼생활에 필수는 사랑'이라고 믿고 있다. 아직 내가 살아온 경험으로나 나이를 보아도 사랑에 대한 정확한 감정과 정의를 내리기는 어렵지만, 사랑이 없는 결혼도 생각하기 어렵다. 인간관계에 대한 서로의 감정이 점점 메말라가고 삭막해지는 사회에서 사랑에 대한 열정도 무뎌진다는 것은 또 다른 한편으로 삶의 즐거움을 잃는 것과 같다고 생각한다. 인간은 평생 사랑을 주고받으며 살아가는 사회적 존재이다. 사람들은 삶 속에서 사랑의 감정을 주고받는 것을 시와 소설, 영화와 그림 등 많은 매체를 통해 그려왔다.[42]

우리는 제일 먼저 사랑을 받으면서 태어난다. 사랑은 인간이 이 세상에 태어나 죽을 때까지 서로 기대며 살아갈 수 있는 바탕을 이루는 것으로써 인간은 사랑이란 기초위에 가정이라는 집을 짓고 행복이라는 열매를 가꾸어나가게 된다. 결혼하려는 사람들에게 "왜 결혼 하는가?"라는 질문에 대한 가장 많은 대답은 '사랑해서'이다. 사랑하는 두 사람은 결혼을 통해 서로에 대한 애정과 헌신, 책임감 등을 표현하고 서로

---

[42] 미래가족연구회, 2011

의 인생을 공유한다.43)

복싱선수 아내에게 처음 "남편을 사랑하지 않는다"라는 이야기를 들었을 때, 나는 이 가정을 위해 무엇인가 해야 할 것만 같았다. '단순히 사랑하지 않는다'라는 의미보다 더욱 심각한 부분이 있었다. 하지만 그 당시 연구자로서 중심을 찾고자 했으며, 더구나 부부의 문제에 대해서 연구자가 할 수 있는 일은 아무것도 없었다. 복싱선수 아내는 남편을 사랑하지 않지만, 함께 살아가고 있었다. 부부관계 속 다양한 문제로 인해 사랑보다는 책임감으로 가정을 유지하고 있는 점에서 연구 참여자인 아내의 비밀을 지켜주고, 혹여나 아내의 이야기를 남편에게 전달하거나, 도움을 주려는 행동이 더 큰 문제를 불러일으킬 수 있다고 생각했다. 연구 결과를 위해 의도적으로 필요한 면담만 인용하였지만, 아내 대부분은 남편의 건강을 챙기고 남편과 가정을 생각하는 노력의 모습도 볼 수 있었다.

복싱선수 아내의 경우 임신과 육아로 인해 육체와 심리적 높은 스트레스로 그 화살이 남편에게 가는 것이 아닐까. 사랑의 부재는 현실적으로 경험하게 되는 스트레스가 사랑이라는 감정보다 더욱 크게 느껴지는 부분에서 해석해 볼 수 있을 것이다.

---

43) 한국웨딩학회편, 2010

"사랑 안 하죠. 사랑스러운 모습이 있어야 사랑을 하죠. 얼굴도 자세히 보면 잘생긴 것도 아니고 경제적으로 여유가 있는 것도 아니고…. 아기만 아니면 결혼을 안 했죠! …(중략) 사랑하기야 하죠…. 비록 무지무지 사랑해서 결혼했다기보다 아기 때문에 결혼을 결정하게…. 지금은 남편보다 아기를 더 사랑하는 거 같아요."

"집안일도 덜 끝나고 열심히 집안일을 하고 있는데, 집에 와서 하는 일이라곤 컴퓨터 앞에 앉아 게임하는 거죠, 이뻐할 수가 있겠어요? 처음에야 조금 도와주는 척만 하고 이제는 포기하고 살죠, 사랑 같은 애정 표현도…. 괜히 기대하거나 욕심내면 저만 상처받고 싸우게 되니까요"

첫눈에 반하고, 목숨 바쳐 사랑하겠노라는 다짐과 결의는 언제 어느 순간 사라져 버렸는지, 혹은 처음부터 사랑이라는 착각에 빠져 있었는지도 모른다. 슬픈 이야기지만 이것이 현실이라고 말한다. 과거에는 얼굴 한번 못 보고 대화도 한번 나누어 보지 못하고 결혼해 한평생을 살아온 분들도 계신다. 과거에서부터 결혼과 사랑은 각기 다른 길을 걸어왔는지도 모른다.

석사 논문을 책으로 내겠다고 결정하고 결혼에 관한 다양한 책들을 찾아보았다. 결혼 코칭, 결혼을 배우다, 결혼 전에 꼭 알아야 할 12가지 등, 대부분 내가 선택한 책은 신학을 바탕으로 한 책들을 볼 수 있었다. 결혼과 행복, 행복과 사랑을 어떻게 보아야 할지, 이를 정의하기가 무척이나 철학적이다. 사랑의 속성에는 감정적 요소, 우정적 요소, 의지적 요소가 있다. 헬라어로는 에로스, 필리아, 아가페로 설명될 수 있으며, 스턴버그는 열정(passion), 친밀감(intimacy), 헌신(commitment)으로 설명한다. 이러한 사랑의 세 요소가 함께 균형을 이루고 있을 때 사랑은 건강하고 풍성해질 수 있다.44)

앞서 결혼의 현실에서 이상형과 다른 사람과 결혼하고, 경제적으로 어려움을 겪게 되고 결국 정신적으로나 육체적으로 현실적인 결혼생활에 지쳐 '사랑'을 잃어버리는 경우를 볼 수 있다. 결혼생활에 '사랑'은 어떠한 의미가 있는지, 어떻게 작용하는지는 알 수 없다. 개인의 다양한 의미를 부여하고 다양한 사랑을 하고 있어서 누구의 사랑이 정답인지도 모른다. 사랑이 무엇인지는 모르겠지만, 사랑이 분명히 존재함은 확신한다.

부부 사이에 사랑의 부재가 부부의 불화로 이어지는 것만은 아닐 것이다. 결혼 후 부부에게 의도치 않는 다양한 문제가 발생하기도 하고 각자가 문제를 만들어내기도 하면서 사랑의 의미와 감정에 변화가 나타나는 것이 아닐지 생각한다. 부부관계의 문제는 다양한 각도에서 접근하여 그 문제를 해결해야 할 것이다.

복싱선수 가족을 비롯해 결혼 후 사랑을 잃어버린 모든 부부에게 잃어버린 사랑을 찾기 위한 노력이 필요하다고 강조하고 싶다. 왜 사랑이 꼭 필요하냐고 묻는다면 사랑은 심리

---

44) 이기복, 2011

적 안정감은 물론이며, 심장이 뛰고 있음을 다시 한번 확인할 수 있는 유일한 감정이라고 생각한다. 너무 감성적이고 현실적이지 못한 이야기라고 생각할 수도 있겠지만, 왜 사랑을 심장에 비유하겠는가.

다시 한번 강조하지만, 사랑하는 것이 곧 심장이 뛰는 것이고, 살아있다는 것을 새삼 느끼게 해주는 것이 사랑이 아닐까.

나는 '님아, 그 강을 건너지 마오' 다큐멘터리 장르의 영화를 통해 내가 생각하는 이상적인 결혼생활과 사랑을 조금 짐작해 볼 수 있었다. 정말 사랑하는 사람과 한날한시에 생을 마감하고 싶다는 생각과 함께 많은 눈물을 흘렸다.

'그래도 사랑이다'라는 굳은 의지를 끝까지 믿는다.

5) 대화가 필요해

"솔직한 대화, 부부의 신뢰"

결혼을 통한 안정과 질적으로 높은 생활을 결정하는 부분
은 개인의 가치관 및 살아온 환경을 들 수가 있다. 특히나
의사소통과 문제해결을 위한 이견조율도 결혼생활에 중요한
요인으로 볼 수 있다. 우리 인간사회는 청각과 시각을 바탕
으로 대화가 이루어진다. 대화는 언어, 표정, 몸짓 등과 같이
다양하게 표현할 수 있듯이 자신만의 방법을 통해 정확하고

진실한 의사를 전달하는 것은 중요하다. 인간관계의 기본이라 할 수 있는 의사소통은 가족생활의 적응에 중요한 관심거리가 되었다. 특히 가족은 가족원이 의사소통을 학습하는 일차적인 사회화 장소가 된다는 점에서 가족의 의사소통은 매우 중요하다.[45]

의사소통(communication)은 정보를 전달하기 위하여 혹은 관계를 형성하고 유지하기 위하여 메시지를 교환하는 교류과정이다.[46] 인간은 대화를 통해 자신을 드러내거나 감정과 느낌을 표현하며 타인과의 대화를 통해 정보를 주고받거나 새로운 사실들을 접한다. 또한, 우리는 대화를 통해 자기 능력에 대해 잘 이해하거나 자신의 어리석음을 깨닫기도 한다. 우리가 과거보다 어느 정도 성장하고 발전했는지 아니면 퇴보했는지도 대화를 통해서도 알 수 있다.

그렇다면 대화는 어떻게 해야 하는가? 대화의 가장 근본적인 요점은 '듣기'이다. '듣기'가 대화에서 어려운 이유는 우리가 너무 주관적인 입장에서 상대방의 이야기를 듣기 때문에 이는 이성에서 감정으로 빠르게 전이되는 것이다. 상대방의 상황에서 생각하기도 쉽지 않다. 우리 뇌 구조가 지극히 주관적이기 때문이다. 아무리 상대방과 처지를 바꾸어 생각해 보아도 나는 전혀 그렇게 할 수 없으며, 하지 않을 것이다. 주관적으로 상대방의 처지를 생각해 본다는 건 이미 주관이

---

45) 서병숙, 1998
46) 이정덕, 외 2003

들어가 있어서 결국 원점으로 돌아가게 된다. 나의 경험에 따르면 대화는 그냥 듣고 그 상황을 빨리 수용하는 것이다. 효과적인 대화의 결말은 상대방 혹은 자신이 대화를 통해 행동, 생각, 감정 등의 변화가 일어나는 것이다. 즉, 내가 상대방의 말을 듣고 거기에 맞게 행동이나 생각을 바꾸는 것이다. 절대 주관적인 생각을 조금이라도 반영해서는 안 된다. 골프를 치러 가겠다는 '나'와, 가지 말라는 '너'를 맞이했을 때 정말 짜증과 화가 치밀어 왔다. '너'는 조율이라곤 조금도 없이 그냥 가지 말고 있어 달라는 이야기에 전혀 논리적이지 못하고 일방적인 주장에 답이 나오지 않았다. 그래서 나는 일단 가지 말라는 '너'의 말을 듣고 행동에 옮겼다. 그 당시는 화가 나고 답답했지만, 이젠 서로 대화를 하면 서로 양보하고 듣는다. 싸울 일이 없다. 그렇다 보니 쉽게 말을 하지 않는다. 서로의 말을 들으려고 하니 신중해지는 것이다. 듣는다는 것은 행동의 변화를 만드는 것이다. 상대를 변화시키는 게 아니라 먼저 나를 변화시키면 상대방도 따라 변한다. 행여 상대가 변화하지 않아도 괜찮다. 일단 내가 변한다는 것만으로도 의견충돌이 일어나지 않으므로 일상이 평화롭다. 잘 듣는다는 것은 상대방을 배려하고 존중한다는 것인데, 배려와 존중은 다툼으로 이어지기 힘든 것이다. 이는 지극히 주관적인 사례이기 때문에 참고만 하기 바란다.

한주리, 허경호[47]의 연구에 따르면 부부간의 결혼 만족도

---

[47] 한주리, 허경호(2004)

를 높이기 위해서는 자기 노출, 역지사지, 사회적 긴장 완화, 대화의 집중, 표현력 증대 등 대화의 질을 높이고 메시지 생산 및 의사소통을 위한 환경 조성 등에 필요한 능력을 개발할 것을 이야기한다. 객관적인 방법은 조금만 찾아보면 알 수 있다. 대화만으로 많은 문제상황을 해결할 수 있다고 본다. 그러므로 문제가 있다면 대화를 위한 노력을 시도해 보자!

"딱히 대화의 주제가 있는 것도 아니고, 남편이 집에 오면 운동에 대해서 불평불만이나 좋았던 점을 이야기해요. 저희는 안 좋은 일은 깊게 이야기하면 싸우거든요. 대화를 잘 안 해요. 그래서 할 말만 한다? 그때그때 상황에 따라서 이야기하는 거죠."

"오빠는요 지금까지 자기 밑에 사람들에게 시켰던 것이 있잖아요. 그게 부인한테 그 성향이 드러나요. 가끔, 후배한테 하듯이. 남편 말이면 무조건 들어야 하고 운동선수들끼리의 체계를 집에서도 하려고 해요. 가끔 그런 것 때문에 싸우기도 해요. 내가 오빠 후배냐고."

" '여자가 할 일', '남자가 할 일', 딱 그게 아니구요 숙소에서 후배들한테 시키던 거를 저도 당연히 해야 한다고 생각을 하고 시켜요. 말투도 그런 게 있어요. (중략)… 특히, 닭살 돋는 말을 잘 안 하고 가끔 직접 하기보다는 간접적으로 카톡을 하거나 문자로 해요."

면담 내용을 살펴보면, 남편으로서 복싱선수는 대화와 표현이 서툴고 보수적인 성향을 보인다. 또한, 운동선수 집단의 관행이 가정에서도 일어나고 있음을 볼 수 있다. 우리나라 남편들은 권력적으로 남편이 아내보다 우위에 있어야 한다는 권위적인 사고방식과 아내의 의사소통 욕구에 대해 무관심하고 비난적인 태도를 보이는 경향이 높다고 볼 수 있다.48) 현대 사회에서는 큰일날 일이 아닐까? 평등한 사회를 추구하는 상황에서 특정한 권위를 가진다는 것이 이젠 큰 의미가 없다는 것이다. 기울어진 관계가 이젠 균형을 이루게 되면서 사회적 권위만으로 가정에서 같은 권위를 누릴 수 없는 현실이다. 현실적으로 이상적인 의사소통은 전혀 문제가 없다. 사소한 문제를 두고 의사소통이 원활하게 이루어지지 않는 부분에서 큰 문제로 이어지는 경우를 볼 수 있다. 원활한 의사소통의 문제는 '성격의 다름'이라는 결과로 이어지고 결국 헤어질 결심을 한다.

언어와 같은 말이 가지는 힘과 역할은 문화와 가치관을 드러낸다. 상대방에게 같은 단어를 사용하더라도 다른 의미와 감정이 전달될 수도 있다. 그러므로 정확하고 구체적인 의사전달은 필수이다. 아내가 남편을 위해 걱정하고 신경 쓰는 일을 잔소리로 듣거나, 혹은 대화 단절의 원인을 상대방으로 생각할 수 있다. 배우자를 처음 만났을 때 적극적이고 당당했던 모습과 다르게 말수가 적어지고 꼭 필요한 대화만 진행되는 것이 어디 복싱선수 부부만의 일인가.

부부 대화의 부재는 다양한 원인으로 볼 수 있지만, 특히

---

48) 유공순, 2008

나 단순하고 시각적인 남성의 대화법은 복잡하지 않지만, 대화의 지속이 어렵다고 볼 수 있다. 여성의 경우 섬세하고 감성적인 대화로 진행되기 때문에 남성과 여성이 대화를 이어간다는 것은 남자로서 쉽지 않은 일이다. 이는 지극히 주관적인 나의 생각이다. 나는 사람들과 대화하는 것을 좋아하고 잘 들어주는 편이지만, 매번 여성과의 대화가 어렵게 느껴지는 건 사실이다.

부부의 대화가 짧고, 단절되어있다면 누구나 먼저 할 거 없이 먼저 용기를 내어 대화를 시작해 보자. 대화의 가장 기본은 상대방 이야기를 들어주고 공감해 주는 것이다. 단순히 들어주는 것만으로 대화의 문제가 해결되거나 질적 향상을 단시간에 기대할 수는 없을 것이다. 하지만 지속해서 진심으로 조금씩 노력을 하다 보면 분명 긍정적인 결과가 나타나리라 생각하며, 무엇보다 남편의 적극적인 대화의 노력(잘은 모르지만, 따뜻하고 평소 하지 않았던 칭찬과 세세한 관심의 표현)은 아내에게 큰 점수를 획득할 수 있을 것으로 생각한다.

복싱선수 아내가 함께 생각해 볼 사항으로 운동선수의 말투와 행동 및 습관이다. 운동선수 특유의 문화라고 할 수 있는 선·후배 문화의 관습이 가정에서 일어나고 있음을 알 수 있다. 운동선수의 집단생활로 인해 나타나는 모습은 개인 차이가 있겠지만, 운동선수 문화를 오랫동안 겪어오면서 형성된 것이기 때문에 복싱선수 아내가 받아들이는 데 불편한 감정이 드는 것이 당연한 일일지도 모른다. 꼭 복싱선수라서 혹은 운동선수라서 가지는 행동이 아닐지도 모른다. 다만, 운동선수에게만 나타나는 특별한 언행과 말투가 있을 수 있다. 남편이 아내에게 하지 말아야 할 언행이 있다면 그것은 운동선수와 상관없이 하면 안 되는 것이다. 대화가 된다면 앞서 이야기했듯이 분명히 변화가 있을 것이다. 그러므로 감정이 아닌 이성적으로 대화를 시도해 보길 바란다. 운동선수라는 인식을 벗어 던지고 말이다.

6) 불규칙한 선수의 생활

"항상 함께하는 것이 행복한 결혼이다?"

결혼은 평생 함께하겠다는 서약이다. 이 서약은 법의 테두리 안에서 평생을 함께 지켜가야 한다. 하지만 오늘날에는 서로의 구속이나 강요에 순응하는 것을 부정적으로 생각한다. 결혼을 통해 개인의 삶이 '우리'의 삶으로 하나가 되는 과정에서 크고 작은 충돌이 발생하게 된다. 결혼 전 개인의 삶을 살펴보면 '나'를 중심으로 시간과 계획이 짜여있다. 가장 기본적으로 취침 시간과 기상 시간, 근무시간, 식사 시간과 같은 개인 중심의 삶을 볼 수 있다. 특히 운동선수의 경우 운동으로 하루를 시작한다. 시합 시즌의 경우 새벽 훈련을 시작으로 오후 훈련을 마치고 다시 야간 훈련을 한다. 중간마다 틈나는 시간은 주로 휴식이 이루어지기 때문에 아내가 그 일정을 함께 맞추어야 하는 경우가 생긴다. 그뿐만 아니라 운동선수 전지훈련의 경우 1개월에서 그 이상 훈련이 진행되며, 국가대표는 장기간 선수촌에 입촌해야 한다. 이같이 남편과 떨어져 지내야 하는 상황은 아내들의 고충으로 나타나고 있었다.

일반직장의 근무시간과 퇴근 시간은 대부분 고정적이거나 큰 변화가 일어나지 않으며, 규칙적이라 볼 수 있다. 운동선수의 다양한 출근 시간과 퇴근 시간은 운동선수들의 문화이며, 관행이고, 그들만의 규칙이다. 지도자의 재량으로 인해 운동시간 즉, 퇴근 시간이 길어질 수도 있고 조기 퇴근, 운동시간이 짧아질 수도 있다. 시합 및 전지훈련 일정에 따라 훈련 장소와 시간이 자주 변동될 수 있는데, 이러한 불규칙한 환경으로 인한 복싱선수 아내들의 고충을 들을 수 있었다.

"불규칙한 시간, 어떻게 보면 좋은데 어떻게 보면 힘들어요. 일반 직장인 같으면 아침에 출근하고 저녁에 퇴근하는데, 남편은 들쑥날쑥해요. 새벽에 나갔다가 오전에 들어오고 또다시 오후에 나가고 다시 밤늦게 들어오면 1, 2시간 있다가 감독이 연락해 오면 나가야 하고 누가 연락해 오면 나가야 하고, 좋은 거는요 틈틈이 시간이 많아서 좋아요! 부탁할 게 있으면 언제든지 부탁할 수 있으니까요."

"아는 사람이 한 명도 없어요. 다른 지역에는 한 명, 두 명 이렇게 있는데, 제가 있는 지역에는 커피 한잔할 친구도 없어요. 결혼 초반에는 고립된 느낌에 우울하기도 했죠."

"남편의 손길이 필요할 때가 있어요. 집안일 중에 특히 힘을 써야 하거나 전자제품이나 가구를 수리할 때와같이 남자의 역할이 있는데 집에서 얼굴 보기가 힘들어요. 조금 시간적 여유가 있으면 집안일보다는 같이 커피도 마시고 외식도 하고 싶은데 혼자 커피를 마시고 밥을 먹는 시간이 더 많아요."

"전지훈련이나 시합을 가면 혼자 집에 있기보다 친정에 가요. 혼자 집에 있는 게 어떻게 보면 편하고 자유로울 수 있는데 남편을 따라왔는데 남편 없이 혼자 집에 있을 이유가 없는 거죠"

아내가 남편을 따라 직장을 그만두었거나 지역을 옮기게 되었다면, 이와 같은 문제는 더욱 크게 나타날 수도 있다. 개인의 성향에 따라 주변 환경에 잘 적응하며 새롭게 시작하게 되는데, 아내가 결혼 후 새로운 환경에서 새로운 시작과 적응을 위해서는 크게 두 가지 단계가 필요하다.

첫 번째는 효율적인 시간 활용이다.

결혼생활 연차에 따라서 혼자 있는 시간을 잘 대처하고 극복해 간다. 개인 성향에 따라 다르겠지만, 일부 아내들은 결혼 초기에는 오직 남편의 퇴근 시간만 기다리게 된다. 특히, 가사 활동과 육아로 인해 정신적으로나 육체적으로 지치게 되면서 더욱 남편에게 의지하게 된다. 이처럼 결혼 초기에는 남편을 기다리고 의지하는 시간을 보내게 되겠지만, 어느 정도 시간이 지나면 아내는 혼자 있는 시간에 집안일 등으로 바쁜 나날을 보내게 될 것이다. 중요한 점으로 잉여시간 즉, 혼자 있는 시간을 효율적으로 보내기 위한 노력이 필요하다는 것이다. 현실적으로 복싱선수 아내는 혼자서 모든 걸 새롭게 시작하는 상황 자체를 감당하기 힘들지도 모른다. 더욱이 남자는 이야기를 하지 않으면 알 수 없다. 그래서 더욱더 명확하게 자신의 상황과 감정을 쏟아내지 말고 잘 포장을 해서 쉽게 전달 해야 한다. 그렇지 않으면 정말 아무런 문제가 없는 줄 알고 있을 것이다.

결혼 후 혼자 있는 시간을 적절히 잘 보내는 아내가 있는 반면에 혼자 있는 시간을 쓸쓸히 보내며 술을 마시거나, 남편에게 집착하는 등 안 좋게는 우울증을 경험하기도 한다. 모든 아내가 같은 상황과 경험을 한다고 볼 수는 없지만, 대화도 안 되고 감당이 안 되면 어떤 취미든 갖거나 무엇이든 해야 한다. 집 밖으로 나갈 수 없다면 집에서 할 수 있는 취미나, 활동이 어려운 경우 책을 읽거나 드라마를 보는 것도 좋은 방법일 것이다. 혹은 적극적인 활동(새로운 사람을 만나거나 아르바이트, 직장과 같은 생산적인 활동 등)을 통해 자신의 감정에 끌려가는 시간을 주지 않도록 하는 것이다. 중요한 건 결혼 후 새로운 환경에 적용해 가는 과정에서 함께 해결해 가는 것도 중요하지만, 혼자만의 시간을 잘 활용하는 것도 중요하다. 최근에는 맞벌이 부부가 증가하여 집에 독박 육아로 혼자 있는 아내들은 찾아보기 힘들지만, 충분한 시간 이 주어진다면, 취미생활을 하거나 자기 계발을 위한 시간으 로 지혜롭게 시간을 활용해 가길 바란다.

두 번째는 혼자만의 시간을 갖는다.

첫 번째와 다르게 혼자만의 시간을 갖는 것이다. 앞서 첫 번째는 자신이 의도하지 않은 잉여 시간을 효율적으로 잘 보 내는 것이 필요하다면 두 번째는 혼자만의 시간을 의도적으 로 갖는 것이다. 아내들의 경우 오랫동안 육아와 집안일로 인해 온전히 자기 자신만의 시간을 가질 수 없는 상황에 놓 이게 된다. 이 경우에는 남편과 가족의 적극적인 지원으로 아내는 육체적으로나 심리적으로 안정을 찾고 스트레스 해소 를 위한 시간을 가져야 한다.

남편의 경우 밖에서 고된 일을 하고 경제활동을 명분으로 집안일을 하지 않는다. 이러한 이야기는 옛날이야기다. 가사 분담에 있어 경제적으로 아무런 걱정 없이 넉넉하다면 가능 한 일이지만, 현대 사회에서는 맞벌이 부부가 대부분이다. 워킹맘의 경우 가정에 복귀 후에도 노동의 연장선으로 집안 일을 하게 된다. 아직 평균적으로 남성이 여성보다 조금 더 많은 급여를 받고 있다는 점에서 역할 분담은 남성보다 아내 의 비중이 높다고 볼 수도 있다. 남편도 아내도 각자의 위치 에서 가족을 위해 열심히 일하고 노력하고 있다는 점에서 노동의 가치를 돈으로 환산해서 역할을 구분해서는 안 된다. 아무리 남편이 집안일을 도와주어도 절대적인 부분에서 아내의 역할이 필요하다. 결론은 아내들은 정기적으로 혼자만의 자유로운 시간을 통해 스트레스를 해소하고 몸과 마음의 여유를 가질 수 있는 시간이 필요하다는 것이다. 육아로 인해 혼자만의 시간을 가질 수 없다면 남편 또는 친정에 과감히 아이를 맡겨두고 잠시나마 어디든 떠나야 한다. 이는 오직 아내만을 위한 것이다.

결혼은 항상 함께해야 한다는 것은 '결혼'이라는 단어 속에 하나가 된다는 의미가 포함된 것이다. 현대 사회에서 결혼으로 인해 개인의 삶을 공유하고 항상 함께해야 한다는 것은 의무가 아닌 선택이 되어버렸다. 이렇듯 결혼 이후 개인의 생활(직장)을 중심으로 흘러가는 부분에서 각자의 삶을 존중하고 서로에 대한 이해가 바탕이 되어야 한다. 결혼해 보니 현실은 크게 다르지 않다는 것을 느꼈다. 당시의 연구자 관점에서, 결혼 후 내 생각은 같다. 남편은 가정에 돌아왔을 때 조금 더 아내를 살피고 따뜻한 말과 작은 행동으로 격려하며, 아내와 의미 있는 시간을 효과적으로 보내기 위한 노력이 필요할 것이다. 아내는 육아 및 살림으로 인해 지친 몸과 마음을 휴식할 수 있는 자신만의 방법을 만들어 가는 것이 필요할 것이다.

특별한 예도 있다. 부부 사이가 금실이 좋다면, 부부 함께 시간을 보내는 것도 좋은 예일 것이다. 다만, 어느 한쪽이

혼자만의 시간이 필요하다면, 그 시간을 존중해주는 것이 맞다. 항상 남편과 함께, 혹은 아내와 함께 있고 싶다면 정말 이상적인 부부가 아닐까. 나는 아직 그러한 부부는 보지 못했지만, 그럴 가망성의 징조가 보이는 거 같아서 고민이 된다. 혼자만의 시간을 절대적으로 존중해주자. 대신 함께하는 시간도 보장받으면서 말이다.

7) 직장생활의 연장전

"직장 관계 VS 가족 관계"

앞서 복싱선수 가족의 범위는 동료 운동선수를 포함하고 있음을 알 수 있다. 다음 면담 내용은 동료 운동선수로 인해 나타나는 상황으로 두 가지로 나누어 해석해 볼 수 있다. 첫 번째 ①의 경우, 직장에서 보편적으로 나타나는 퇴근 후 일의 연장선으로 볼 수 있다. 여기에도 개인의 성향에 따라 활동 여부가 결정되지만. 다양한 직업의 다양한 문화가 존재하기 때문에 그 문화를 받아들이고 참여하는 것은 당연한 일인지도 모른다. 특히나 운동선수의 경우 근무시간이 정해져 있지 않으며, 선배, 혹은 지도자의 부름에 따르는 것은 익숙하다고 볼 수 있다. 직장에서의 퇴근이라는 개념보다 훈련이 끝난 후 지속해서 동료들과 소통하고 만나는 것은 그들의 익숙한 생활이라고 보아야 할 것이다.

> "①자기(개인) 시간이 많지만, 코치나 감독의 터치가 심하고 개인 시간을 너무 빼앗으니깐…. 주말에도 불러내고 무슨 일이 있으면 불러내고 본인도 스트레스받고, 옆에 있는 사람도 스트레스받죠. 주위 사람들 때문에 더욱 힘들어요. 너무 불러내니깐…. 운동시간 외에 다른 개인 시간에도 관여를 받으니깐 저로서는 직장에서 근무시간 외에 왜 불러내는지 그것 때문에 다투기도 했어요."

"②밤늦게 왜 나가는지…. 집에 오면 피곤하다고 잠자고… 게임 하고… 아니면 또 나가고… 그뿐만 아니라 좋은 이야기든 나쁜 이야기든 다~ 이야기하고 다녀요. 좋은 이야기는 괜찮은데 가족 이야기나 저희 둘만의 이야기까지 편하게 해버리니깐…. 부담스럽죠…. 선배나 후배들 보기에…."

②번의 경우는 지극히 개인의 성향으로 보아야 한다. 개인의 생활방식 및 성향에 따라 가정과 직장의 구분이 없는 경우를 종종 볼 수 있다. 특히 합숙 생활을 오랫동안 해오면서 개인의 삶을 공유한다는 것은 자연스러우면서 익숙한 일이라고 볼 수 있다. '기쁨을 나누면 두 배가 되고' '슬픔을 나누면 반이 된다'라고 생각할 수 있지만, 복싱선수는 직장생활과 가정생활에 대한 명확한 기준과 구분이 필요한 부분이다. 그렇다고 해서 가정의 문제를 꼭 부부라는 틀 안에서만 해결하라는 말이 아니다. 분명 주변의 조언을 받거나, 의견을 나누

는 등 타인의 도움이 필요한 부분도 있다. 다만, 대화의 주제가 개인인지, 부부인지, 또는 이야기를 전달하는 대상에 따라 적절한 절제를 바탕으로 소통이 필요하다는 것이다.

"퇴근이라는 단어가 어색할 만큼 직장인이라고 보기에 너무 불규칙하고 기준이 없어요. 오후 훈련 끝나고 우리 집에서 저녁을 먹고 다시 야간운동을 하고, 야간운동이 끝나고 다 같이 당구장을 간다거나 야식을 먹어요. 신혼인데 그런 느낌이 안들 정도입니다."

"처음에는 오빠 동료들이랑 같이 모임도 하고 정말 즐거웠습니다. 같이 노는 것도 어쩌다 한 번씩이지, 결혼 후에도 일주일에 2~3회를 본다고 생각해 보세요. 당연히 불편하고, 그나마 다행히 친한 선배가 있어 제가 직접 저희 부부만의 시간을 달라고 하니 조금 눈치를 보더군요."

운동선수의 생활은 군대와 흡사하다고 볼 수 있다. 감독은 지휘관이고 나이라는 계급으로 매일 함께 훈련하고 밥을 먹고 잠을 자는 등 반복된 생활은 자연스럽고 익숙한 일이다. 그뿐만 아니라 운동선수에게 감독과 선배의 부름에 응하는 것은 당연하다고 생각할 것이다. 이렇게 가족보다 직장동료와의 관계가 우선시 되어 행동하는 남편을 바라볼 때 아내로서 서운한 부분이 생길 수도 있고, 그러한 남편을 이해하지 못하는 경우가 분명히 발생한다. 이는 남편이 가족보다 직장을 우선으로 하는 부분이 문제가 되는데, 앞서 운동선수 동료가 가족으로 확장된 것이 비슷한 맥락이다. 운동선수의 관점에서 가족과 비교해서 직장이 먼저라고 생각하고 행동하는 것은 아니다. 사회활동과 집단생활 속에서 그 관계를 유지하고 발전시키기 위해 다양한 방법과 노력을 실천하는 것으로 보아야 할 것이다. 직장이 먼저냐? 가정이 먼저냐? 묻는다면 둘 다 중요하다. 남편은 어느 한쪽으로 치우치지 않도록 직장생활과 결혼생활의 두 마리 토끼를 잡기 위한 지혜가 필요하다.

결혼은 두 남녀의 개인적인 친밀감의 형성과 더불어 맺어지는 지극히 개인적인 사건이지만 결혼을 통해 두 사람이 함께 가족을 이루며, 바람직한 가정생활을 이룩하기 위해서는 결혼생활의 개인적, 사회적 문화적 특성을 이해하는 것이 중요하다.[49] 남편의 개인적 성향, 운동부 문화의 특성을 빠르게 파악하고 이를 바탕으로 남편의 행동을 이해하길 바란다. 반복해서 운동선수의 삶과 문화를 이해해 달라고 바라는 건 이기적이라고 생각할 수 있다. 이러한 이해는 운동선수 생활이 길면 길수록 깊게 고착되어 있다고 볼 수 있는 만큼 변화가 쉽지 않다. 아내의 이해와 노력이 있다면, 남편은 직장생활(동료 관계)과 가정생활(부부관계)의 경계선에서 적절한 역할수행을 통해 아내의 걱정과 근심을 덜어 주길 바란다.

8) 가정은 사각의 링이 아니다.

석사 논문에는 '복싱선수의 폭력성'이란 주제로 복싱선수의

---

[49] 서병숙. 1998

이미지를 대변할 수 있는 내용으로 구성하였다. 시간이 흘러 '복싱선수의 폭력성'이라는 주제가 계속해서 복싱선수의 폭력적인 이미지를 형성하고 있다는 생각이 들어 본 내용에서는 제목을 변경하였다. 아무래도 '복싱'이라는 스포츠가 공격적인 이미지로 많은 오해를 살 수 있기 때문이다.

실제로 복싱선수 가정에서 폭력이 일어나는 일도 있겠지만, 이는 복싱선수라서 더욱 많은 오해와 주목을 받게 된다. 운동선수는 '말보다 행동이 앞선다거나', '공격적이고', '폭력적이다'라는 이미지를 형성하고 있다. 이미 형성된 이미지를 바꾸기는 쉽지 않은 일이지만, 전직 복싱선수로써 조금 억울한 부분도 있다. 정말 복싱이라는 이미지와 전혀 다르게 순수하고, 내성적이고, 차분한 성격을 가진 선수들도 많다.

복싱선수뿐만 아니라 운동선수는 어릴 적부터 고된 훈련을 참고 견디내면서 강인한 정신력을 무장했다. 승부에 익숙한 운동선수에게 은퇴 이후 사회가 불합리하고, 냉대한 태도는

운동선수가 싸워야 할 대상이 되어 공격적인 모습으로 대응할 수밖에 없는 것이다. 분명 과거 부정적인 이미지를 심어준 일부 선배들도 있지만, 복싱을 위해 목숨 바쳐 노고를 하신 선배님도 많이 계신다. 쓰러져도 다시 일어나는 굳은 의지의 모습에 우리 국민은 뜨겁게 열망하지 않았는가.

결론으로 복싱은 이제 우리나라와 국민을 대표하는 스포츠 종목이 아닌 것은 누구나 다 아는 사실이지만, 복싱이 뿜어내는 다양한 매력은 여전히 변함이 없다. 진정한 운동선수는 자기 몸과 마음을 함께 단련하면서 자신의 감정을 쉽게 행동으로 옮기지 않는다고 생각한다. 운동선수의 폭력성은 운동선수라서가 아닌 개인의 성향, 가정환경이 바탕이 되어 나타난다고 보아야 할 것이다. 가정에서의 폭력은 남녀를 불문하고 어떠한 이유에서든 허용되어서는 안 된다. 이 책에 제시된 주제와 다른 내용이지만 내가 알리고자 한 바는 운동선수라서 폭력적이거나 폭력이 일어나는 것이 아니라는 점과 절대 가정폭력은 일어나서는 안 된다는 점이다.

> "연애할 때 많이 싸우고 다녔다는 이야기를 듣곤 했어요. 지는 거 싫어하고 욱하는 성격 때문에 결혼하고 이제는 그런 게 많이 없어요. 다른 사람들은 모르겠는데 남편이 절 때리거나 그런 적은 없어요. 다만 좀 욱해서 말을 거칠게 하거나 집에 있는 물건에 화풀이하죠. 저한테 직접적인 행동은 함부로 안 해요. 반면 욕은 잘해요. 화도 잘 내고 다, 다르겠지만 후배들한테는 어떻게 해도… 아! 이런 적은 있어요. 장난칠 때? 복싱 스텝을 밟으면서 저한테 잽을 던지거나 배를 툭! 툭! 쳐요. 복싱선수니깐."

"든든하죠! 괜히 운동선수라고 하면 싸움 잘할 거 같고, 밤늦게 다니게 될 때도 안심이 되겠죠? 근육질 몸매라서 보기도 좋고~ 여자 친구랑 있어서 그런지 더욱 기사도 정신을 발휘해서 도를 지나치기도 하지만, 그 모습이 든든하죠! 한 번씩 저랑 다툴 때 이성을 잃을 때가 가끔 있어 무섭기도 했어요."

사람 대부분은 사랑하기 때문에 결혼한다. 그러나 항상 사랑하는 사람과의 관계가 잘 지속되는 것 같지는 않다. 긍정적이며 서로 참고, 헌신적인 관계를 유지하고 발전시켜 나가는 데는 많은 에너지와 기술이 필요하다. 비록 우리가 사랑하는 사람과의 관계에서 어떤 어려움이 있다는 것을 예측하더라도 파트너가 폭력적으로 되는 것을 생각하지 않는다.[50]

즉, 성별을 떠나서 누구나 폭력적일 수 있다. 신체 폭력을 비롯해 언어폭력과 같이 폭력의 범위는 광대하며 이러한 폭력은 가정을 비롯한 사회 어느 곳에도 허용되어서는 안 될 것이다.

---

50) 김정옥, 2004

"매를 맞는 남편도 있습니다."

'2016년 전국 가정폭력 실태조사'[51]에 따르면 만 19세 이상 65세 미만 기혼 남성 1,388명과 비교 집단인 기혼 여성 2,877명을 대상으로 한 연구가 진행되었다. 결혼 기간 신체적 폭력을 당한 남성은 전체 남성중 3.53%, 정서적 폭력을 당한 남성은 12.83%로 기혼 남성의 100명 중 약 16명이 아내에게 신체적 혹은 정서적 폭력을 당하고 있다고 한다. 가정폭력을 당하는 기혼 남성 16명의 아내는 운동선수 또는 운동선수 출신일까? 아닐 것이다. 빈도를 보았을 때 분명 여성보다 남성의 폭력성이 높은 것은 부정할 수 없다. 가정폭

---

51) 이미정 외, 2018

력을 젠더(gender)의 기준으로 볼 것이 아니라, 폭력의 근본
적인 문제를 해결하기 위한 노력이 필요하다는 것이다. 어떠
한 문제도 폭력으로 해결할 수 없다는 것은 누구나 다 알고
있는 사실이다. 순간적인 감정을 바탕으로 폭력을 행한다면
이는 돌이킬 수 없는 후회로 평생을 살아가야 할 것이다.

다시 말해 남녀를 불문하고 가정은 사각의 링이 아니다.
폭력은 절대 일어나선 안 된다.

PART4. 복싱선수 아내로 살아가기

"결혼을 통해 부여된 역할을 완수해야 한다"

연애로 시작하여 서로를 사랑하게 되고, 그 사랑이 진실이
라면 평생 희로애락을 함께하는 것을 결혼이라고 생각한다.

연애는 '행복한 결혼을 위해 사랑을 확인하는 시련의 과정'이 아닐까? 연애가 꼭 결혼으로 연결된다고 볼 수는 없으나, 결혼 전에는 연애를 통해 서로를 알아가는 과정을 거치게 된다. 사랑하는 사람을 만나 연애의 과정을 거쳐 결혼하게 되면 가족이라는 집단의 구성원으로 다양한 역할을 부여받는다. 현대 사회에서 가족의 의미와 구성은 과거에 비해 많은 변화가 일어났다. 가족에게 부여된 부모, 아내, 남편, 자녀의 역할도 많이 변하였으며, 이러한 각자의 역할을 완수해야 한다. 하지만 부부의 역할 및 부모의 역할을 완수하지 못함은 종종 언론을 통해 알 수 있다. 완벽한 부부도 부모도 없다. 부족한 서로가 만나 배우고 배려하는 노력을 함께 하는 것이다.

전통적인 가족은 부부 역할을 분담하는 방식으로 남성이 경제 영역을 담당하고, 여성이 가사 및 육아 영역을 책임져 왔다. 현대는 부부의 역할이 공유되고 확장되고 있으며, 결혼 후 부부의 역할을 잘 분담하는 것이 결혼생활의 첫 시작이라고 볼 수 있다. 유계숙, 이수빈[52]의 연구에 따르면 미혼 남녀 대학생들은 향후 결혼생활에서 일·가족 균형적 평등주의, 가정 중심적 평등주의, 직업 중심적 평등주의 부부 역할 분담을 기대하며, 부부의 역할을 분담하고 기대할수록 결혼과 출산 의향이 높아진다는 결과도 볼 수 있다.

---

52) 이수빈, 2020

"행복한 결혼생활을 위한 배려와 헌신"

결혼의 의미와 목적을 통틀어 가장 본질적인 부분을 생각해 본다면 '행복'이 아닐까? 인간으로 살아가며 추구하는 것 또한 행복일 것이다. 일반적으로 부부에게 결혼의 행복에 영향을 미치는 중요한 요인으로 꼽히고 있는 것은, 첫째 부부가 각자 상대를 개인으로서 존중해주는 태도를 보이는 것이며, 둘째로 결혼을 장기적인 헌신의 과정으로 보는 태도이고, 마지막으로 사랑보다는 정서적인 지지를 많이 해주는 태도이다.[53] 이와 더불어 행복한 결혼생활을 위해 서로를 이해하고 배려하는 노력이 필요하다.

결혼 후 역할은 남녀의 성 역할을 기준으로 국한되어서는 안 된다.

결혼은 함께 인생의 그림을 그려가는 것이다. 연애를 통해 밑그림을 그려나가고 완성된 밑그림에 신뢰와 사랑이라는 색으로, 역할 완수라는 붓칠을 통해 그림을 완성해 가는 것이다.

---

53) 이정덕, 외 2003

　다양한 부부의 역할 중에 복싱선수의 아내로 살아가기 위한 역할을 살펴보면 총 8가지(내조자, 치료사, 지도자, 홍보대사, 가정교사, 미래 설계사, 여성의 경제활동, 부부의 성(性)생활)로 나타났다. 각 역할은 복싱선수 아내의 관점에서 나타나는 모습이며, 이들의 역할을 일반화하는 데 한계가 있다. 내가 제시한 복싱선수 아내의 역할은 연구자와 복싱선수 아내의 면담으로 수집된 자료를 분류 및 분석을 통해 의미 있는 주제와 사건 위주로 구성하였다. 같은 종목의 운동선수 아내라고 하더라도, 각 개인의 역할 차이가 있으며, 이러한 역할의 수행은 행복한 가족을 위한 아내들의 노력으로 볼 수 있다. 또한 이러한 노력은 정답이 아니며, 내가 발견하지 못한 역할도 분명히 있을 것으로 생각된다.

1. 내조자

"내조 = 희생?"

한때 나의 이상형은 평강공주였다. 바보 온달이 훌륭한 장수로 성장하는 모습에서 평강공주의 내조에 엄청난 매력을 느꼈기 때문이다. 그뿐만 아니라 우렁각시와 춘향처럼 '내조'에 대한 다양한 옛날이야기가 있다. 과거에서부터 가부장제를 바탕으로 인식된 내조는 아내의 희생과 같은 맥락을 하고 있다는 점에서 현대의 아내들에게 불만을 사기에 충분하다고 생각한다. 여하튼 나의 이상형이 더는 평강공주가 아니다. 나의 의도와는 다르게 내조가 자칫 아내에게 의지하고 희생을 요구하는 의미로 전달될까 싶어 이상형을 바꾸었다. 나의 이상형은 평강공주가 아닌 한효주(외모), 송지효(성격)다.

2009년에 방영된 〈내조의 여왕〉은 기존의 가부장제에서 변화된 자본주의의 가부장제를 드러내며, 여성의 남편 '내조'가 사회적인 영역까지 확장되고 있음을 알려주는 방송이다.54) 과거 가부장적 자본주의 사회에서 남자의 역할과 여자의 역할은 명확히 구분되었다.

---

54) 임은희, 2019

현대 사회에서의 '젠더' 역할은 유연하다고 볼 수 있지만, 스포츠 현장의 보수적인 성향과 아직 운동선수에게는 '내조' 즉, 아내의 도움이 필요하다는 인식이 자리 잡고 있다. 운동선수 아내가 '내조의 임무를 수행해야 한다'라는 것은 '젠더'의 역할을 구분 짓는 것은 아니며, '복싱선수 아내'로 살아가면서 경험하고 있는 현상을 바탕으로 면담 분석을 통해 나타난 것이다.

남, 여를 불문하고 운동선수 생활을 하는 아내, 혹은 남편이 있다면 '외조'와 '내조'의 역할은 자연스럽게 일어날 수 있는 것이다. 아래의 면담 내용을 볼 수 있듯이, 복싱선수 아내들은 내조가 곧 자신들의 역할이라고 말하고 있으며, 아내의 역할수행을 통해 운동선수인 남편은 더욱 운동(경제활동)에 전념할 수 있는 환경으로 이어져 감을 볼 수 있다.

"남편이 운동하는 데 있어 지장 없게 신경 안 쓰이게 하고 먹는 거나 운동 일정 봐주고 그런 거죠. 제 남편의 경우에는 국가대표가 아니라서 특별하게 신경 쓰는 부분은 없죠. 실업팀에서 대부분 해주고 본인이 거의 다 알아서 하니깐. 특히나 제 남편은 체중조절을 안 해서 먹는 걸 신경을 많이 써주는 편이에요. (중략)…. 돈독한 부부들은 같이 운동도 하고 그러겠죠. 집안일에 신경 안 쓰이게 제 역할을 열심히 하는 거죠. 그렇게 못하는 사람이 많이 있잖아요. 본인이 힘들면 남편한테 신경 좀 쓰라고 하거나 불평불만을 이야기하는데 그런 부분을 제가 다 알아서 하는 거죠. 남편은 운동에만 집중할 수 있도록. 내조가 결국 제 역할을 잘하는 거죠."

"내조가 특별한 건 아니라고 생각해요. 남편은 일을 열심히 하고 저는 집안일을 열심히 하고 각자 일을 열심히 하는 거죠. 제가 밖에서 돈을 벌면 남편은 집안일을 할 수도 있고, 각자 처지에서 생각하기 나름이겠지만, 내조한다는 게 조금 더 상대를 위한 희생과 노력이 많다고 할 수 있겠죠. 그게 손해라고 생각하는 건 아닙니다. 결국, 가족을 위한 것이니까"

"남편이 운동선수니까 운동을 잘하게 돕는 게 내조라고 생각해요. 직업이 달라진다면 다시 생각해 볼 문제인데, 운동선수가 잘되면 옆에 있는 가족, 아내도 주목받으니, 실질적으로 할 수 있는 건 응원을 한다거나 영양 높은 음식을 만들어주고 집에서만큼은 편히 쉴 수 있도록 하는 거죠. 매번 그러기에 힘들지만, 시합 때만큼은 신경을 쓰는 편이에요."

면담에서도 나타났듯이 분명 내조는 자신(아내)보다 타인(남편)을 위한 희생과 노력이 바탕이 된다. 현대 사회에서 평등한 역할 분담이 이루어지고 있는 점과 대비되는 상황이다.

복싱선수 아내들에게 내조는 심신(心身)의 안정을 중요시 생각하고 있었다. 복싱선수 아내만의 특별한 내조를 생각해 보았으나, 복싱선수 아내의 내조는 어렵거나 특별한 것이 아니었다. 남편이 소속된 팀과 훈련 환경에 따라 내조의 역할이 조금 달랐으며, 주로 복싱선수 아내의 내조는 복싱선수가 가정으로 돌아와 휴식을 취하는 데 있어 심리적 안정에 신경 쓰고 있었다. 이는 가정에 대한 걱정을 덜어 주고 좀 더 운동에 집중할 수 있는 환경을 조성하는 것이 아내의 역할이며, 이 역할을 완수하는 것이 아내의 내조라고 말한다.

내조, 외조의 역할은 소득에 따라 결정된다?

노동연구원의 발표에 따르면 남편 소득에 따른 이혼 확률은 월 300만 원은 1/3% 월 1,000만 원은 0%의 확률이라고 한다. 이를 통해 남편의 역할은 경제적 부를 생산하는 것으로 짐작할 수 있으며, 한때, 여성은 경제적 안정을 위해 취직을 포기하고 시집을 선택하는 '취집'과 같은 신조어가 생겨난 배경으로도 볼 수도 있다. 현대 사회에서는 맞벌이 부부의 증가로 내조와 외조는 현실적으로 간단히 결정될 일이 아니다. 경제활동 즉, 노동으로 생산된 가치(돈, 명예)의 기준과 상관없이 서로를 도와야 한다. 비교적 쉬운 일을 한다거나, 돈을 많이 번다고 해서 부부의 역할(책임과 의무)을 내조(남편을 돕는 일), 외조(아내를 돕는 일)의 기준으로 삼아서는 안 될 것이다.

정리하자면 경제활동을 기준으로 내조 또는 외조를 하는 것이 아니라 경제활동과 상관없이 서로를 도와야 한다. 중요한 점은 서로에게 효과적인 내·외조를 어떻게 할 것인가? "이렇게 해야 한다!"라고 말하기보다, 현재 상황과 앞으로 겪게 될 다양한 상황에 있어 지지대와 같은 버팀목이 되어주고, '신뢰'를 심어주는 역할이 필요하다는 것이다. 서로에 대한 신뢰와 믿음은 서로에 대한 존중으로 시작된다고 볼 수 있다. 존중은 사전적 의미로 '높이여 귀중하게 대함'이다.

즉, 타인의 가치를 높이 소중하게 생각하는 마음으로, 서로의 가치를 인정하고 소중하게 여긴다면 이것이 바로 내조와 외조의 시작이 아닐까.

2. 치료사

운동선수에게 가장 두려운 것이 바로 부상이다. 부상은 운동선수의 은퇴로 직결되며, 특히나 세계적인 선수의 부상은 팬들의 관심도 함께 받는다. 운동선수란 건강과 즐거움을 추구하는 생활 스포츠 참여가 아닌 전문적인 기량을 갖추어 경제활동 및 세계 정상이라는 국위 선양을 목적으로 하는 직업으로 볼 수 있다. 직업으로써의 운동선수는 보상 및 급여가

지급되는 부분에서 부상은 경제활동 여부에 직결됨으로 선수 뿐만 아니라 곁에 있는 아내들의 걱정이기도 하다. 운동선수의 건강은 고된 훈련으로 인해 오랫동안 지속해서 잔병을 앓고 있으므로 이를 해결하기란 간단한 일이 아닐 것이다.

복싱선수의 아내들은 남편의 부상에 대해 생각보다 가볍게 접근하고 있음을 알 수 있다. 남편의 부상을 가볍게 접근한다는 것은 아내가 선수(남편)를 위해 할 수 있는 역할의 한계가 있으며, 복싱선수(남편)가 부상을 대하는 태도에 영향을 받는 것이다.

전직 복싱선수로서의 경험으로 보았을 때 웬만한 부상은 가벼이 넘기고, 어느 정도의 부상은 적절한 응급처치로 대처한다. 나의 경우 선천적인지 후천적인지 원인을 알 수 없는 장애를 가지고 있다. 대학교 2학년쯤 왼쪽 눈이 조금 불편하다고 느끼기 시작했는데, 결국 상사근 마비라는 판정을 받은 것이다. 선천적으로 이러한 마비가 있을 수 있다고는 하지만, 복싱선수로 인한 부상도 배제할 수 없다. 결론은 선수 시절 건강관리를 하지 못한 후유증이라고 생각한다.

운동선수의 길을 걸었다면 누구나 고질병 하나씩은 있을 것이다. 그러므로 운동선수도 그 주변에 있는 지도자와 동료 선수들도 크고 작은 부상에 대한 대처와 치료를 위한 노력은 아끼지 말아야 할 것이다. 이를 바탕으로 생각해 보면 복싱 선수 아내들의 부상과 치료에 대한 걱정은 크지만, 부상에 대한 실질적인 역할수행에는 한계가 있음을 다음 면담을 통해 알 수 있다.

"전문 지식인지 남편은 거창하게 이야기를 해요. 근육이 어쩌고 저쩌고. 알아서 관리를 잘하는 거 같아요. 남편이 다치거나 컨디션이 안 좋으면 병원을 가거나 제가 할 수 있는 것은 마사지 정도?"

"축구선수가 발목을 다치면 선수 지속이 힘든 것처럼 오빠도 손목이 안 좋다고 했을 때 걱정을 많이 했어요. 지금이야 참고하겠지만, 결국 부상이 심해지면 운동을 그만두어야 하는데, 그전에 빨리 제가 일자리를 구해야겠죠. 참고 계속하다가 정말 손목이나 신체 일부를 못 쓰게 되는 장애를 입는 것보다 일찍 그만두는 게 좋죠, 운동을 그만두면 다른 일을 해야 하는데 운동 때문에 다쳐서 다른 일도 못 하게 될까? 걱정입니다."

면담에서 나타났듯이 운동선수 부상에 대해 아내들은 혹시나 장애를 입거나, 큰 부상으로 인해 은퇴해야 하는 상황을 걱정하고 있었다. 특히, 전국체육대회나 국가대표 선발전을 앞두고 다치게 되면 선수와 아내 모두 예민함을 볼 수 있었다. 연구 당시에는 아내들의 걱정을 너무 상세히 표현하거나, 필요 이상의 건강상 문제를 거론하는 것을 지양하였다. 다만, 운동선수와 아내 모두 부상에 대해서 개인 성취와 더불어 경제적인 걱정을 함께 소통하고 공감하는 부분에 집중하였다.

"제가 솔직히 해줄 수 있는 게 없어요. 전에 어깨가 다쳐서 들어왔는데 제가 한의사도 의사도 아니고 해줄 수 있는 건 해줘요,

찜질이나 얼음 팩 같은 건 해주죠. 하지만 안 아프게는 못 해주죠. 일반 사람이라면 이렇게 다쳐서 올 일도 없는데. 이런 부분에서 아주 속상하죠…."

"전국체전은 다른 시합보다 준비 기간도 길고 운동도 많이 해서 다치는 일이 많은 거 같아요. 연습경기를 하다가 다쳐서 오면 저 혼자 이런저런 상상을 해요. 어쩌다 다쳤는지, 정말 괜찮은지 그래서 더 예민해져요. 남편 전국체전 기간에는 저도 같이 준비하는 느낌? 다른 언니들 이야기 들어 보면 국가대표 선발전도 전국체전만큼 예민하다고 들었어요."

운동선수의 부상은 민간요법이나, 간단히 치료할 수 없는 영역이기 때문에 운동선수를 비롯해 아내가 쉽게 접근하기는 어렵다는 것이다. 아내의 개인적 성향 및 관심도에 따른 전문적인 식단과 컨디션 관리에 대한 지식을 학습하거나 운동선수의 심리를 위한 피드백을 제공하는 아내가 있을 것이다.

중요한 점은 선수 스스로가 부상관리를 철저히 하는 것이 무엇보다 중요하며, 남편을 생각하는 아내의 마음을 소중히 생각하여 건강관리와 부상에 적극적으로 대처해야 할 것이다.

운동선수 스스로가 건강을 위한 관리와 노력이 필요하다.

운동선수는 부상으로 인해 경기에 출전하지 못하거나, 동료 선수들과의 기량 차이를 느끼게 되면서 심리적 부담감 등으로 빠른 복귀를 생각하게 된다. 결국, 재활 시간을 단축하거나 아픈 곳을 참고 훈련과 시합에 임하게 된다. 김한범[55]의 연구에 따르면 대학 축구선수들은 자신의 부상을 감추려하고 있으며, 부상을 개인의 문제로 경험하고 있었다. 그뿐만 아니라 운동선수는 부상 당시 불안, 걱정, 좌절감, 지도자 눈치, 후회 등의 부정적인 경험을 한다.[56] 이처럼 부상은 선수 개인의 문제만은 아니며, 심리적으로나 육체적으로 부정적인 경험을 사회화의 주관자(가족, 동료, 지도자)와 함께

---

[55] 김한범, 2012
[56] 배경문, 2018

관리가 필요하다고 볼 수 있다.

운동선수는 가벼운 부상을 비롯해 체중감량으로 인해 건강관리에 소홀하게 된다면 자신이 성취한 메달보다 부상의 의미가 더욱 크게 후회로 남을 것이다. 분명 국내를 비롯해 세계 정상급 선수가 되기 위해 고된 훈련은 필요하다. 힘들게 운동하는 만큼 부상관리 및 재활 훈련 그리고 영양제 섭취 등으로 건강관리를 철저하게 신경 써야 할 것이다. 훈련만큼 건강관리가 중요한 부분으로, 부부가 함께 건강 상태를 지속해서 점검할 필요가 있다.

3. 지도자

과거와 비교하면 복싱은 남녀노소 누구나 쉽게 접할 수 있으며, 누구나 한 번쯤은 잽을 날려본 기억이 있을 것이다. 복싱의 인기는 화려한 과거부터 시작되었지만, 남성에 국한되었던 복싱이 현재는 다양한 나이와 성별 제한 없이 참여하고 있으며, 복싱에 대한 수많은 정보를 접할 수 있게 되었다. 이러한 이유 때문인지 복싱선수 아내들은 복싱에 대해서 잘 알고 있었다. 복싱 용어를 비롯해 경기 방법은 물론이며 복싱에 대한 인식도 확고하게 잡혀있었다. 복싱선수 아내들은 남편의 시합과 훈련에 관심을 가지고 운동선수인 남편에게 장단점을 지도해주는 모습도 볼 수 있었다. 부부 혹은 연인이 함께 생활 스포츠를 참여하고 있다면, 이러한 역할은 충분히 이루어질 수 있다. 하지만, 대부분 복싱선수 아내는 남편을 통해 복싱을 알게 된 점에서 본다면, 아내들이 복싱을 이해하고 조언하기까지 많은 관심과 노력을 볼 수 있다.

"제가 남편에게 어떻게 하는 거야? 혹은 어떻게 때리고 라이트는 어떻게 때리는지 가르쳐 달라고 하면 안 가르쳐 줘요. 텔레비전을 통해서는 보는데 남편이 운동하는 거나 경기장에서 실제로는 못 봤죠. (영상으로) 경기하는 것만 보고. 남편이 시합했던 자료는 다 봐요. 모니터링 해줘요. (중략)…. 시합할 때 안 좋은 버릇. 얘는 빠질 때 안 보고 빠진다. 정도? 모니터링 해주죠. 대부분 해주지 않나요?"

"복싱 영화도 보고 복싱이 관련된 영상이나 스포츠 관련 대화도 나누고, 저도 복싱을 조금 배웠어요. 복싱에 대해 모르는 건 유00에 검색해 보고, 제가 복싱에 관해 이야기를 자주 해요. 남편은 별 반응도 없고, 무시하지만 한 번씩 훈련 이야기나 스파링과 같이 훈련이 끝나고 이런저런 이야기를 하는데 제가 알아들을 때 대화를 길게 나눌 때도 있어요. 남편이 생각하지 못한 부분을 짚어주기도 해요."

"시합 때 응원 많이 해주죠. 지거나 하면 위로도 해주고. 메달 따면 더 좋은 거죠! 저는 남편이랑 같이 복싱에 관해서 이야기하는 걸 좋아해요. 꼭 제가 감독 같고, 어떻게 보면 집에서 제가 어떻게 하느냐에 따라 남편의 경기 결과가 달라질 것으로 생각해요. 운동선수니깐 다른 것보다 메달 따거나 돈 벌어다 줄 때가 가장 기쁘죠!!"

복싱선수 아내로서 남편의 경기력에 관심을 두고 대화를 나누며, 응원과 지도를 해주는 부분에서 내조의 연장선으로 볼 수도 있다. 복싱에 대한 정보를 검색하고, 경기 결과에 동감(同感)하는 부분에서 아내들의 적극적인 노력은 복싱선수의 경기력 향상으로 이어질 것으로 생각한다. 한편으로는 선수의 성향에 따라 아내들의 관심과 조언이 부정적인 요인으로 작용할 수가 있다.

나의 경우 면담을 진행하면서 느낀 점이지만, 시합에 대한 피드백을 아내한테 받는다면, 반기기보다는 잔소리로 들릴 것 같았다. 아내의 호의를 너무 부정적으로 생각하는 것이 아니냐는 반론이 있을 수도 있겠지만 반대로 생각해 본다면, 집안 살림에 대한 남편의 조언은 달갑지 않을 것이다. 남편의 말보다는 실질적으로 청소를 도와주거나 물리적인 도움이 필요할 것이다. 이는 지극히 개인적인 성향과 실제 사례를 참고하여 전달하는 것이다. 오랜 시간 힘들게 이어온 복싱선수의 삶 속에서, 특히 경기 결과에 대해 가볍게 받아들이며 소통할 수 있는 부분도 있겠지만, 자칫 운동선수의 자존심에 상처로 남게 될 수도 있다.

결론으로 복싱선수 아내의 남편에 대한 조언과 관심은 선수들의 경기력 향상에 도움이 될 수도 있으며, 그렇지 않을 수도 있다는 점에서 충분한 대화를 바탕으로 지도자의 임무를 수행하길 바란다.

4. 홍보대사

과거 복싱의 인기는 현대 축구와 야구를 능가할 만큼의 전성기를 누렸다. 이러한 사실이 과거 옛날이야기로 잊혀 가는 상황에서 현재의 복싱은 다이어트와 스트레스 해소를 위한 복싱으로 자리 잡아가고 있다. 복싱뿐만 아니라 다양한 스포츠가 생활체육으로 자리를 잡아가고 있으며, 그중 복싱은 화려한 과거를 바탕으로 대중에게 익숙하고 친숙한 스포츠라 할 수 있다.

'챔피언', '주먹이 운다'와 같은 복싱 영화와 이시영, 안보현과 같은 연예인들의 복싱 참여 소식은 대중에 복싱을 알리는 중요한 부분이다. 이와 동시에 복싱선수 아내들의 역할도 톡톡히 하고 있음을 알 수 있다. 특히 복싱선수인 남편에 대한 자부심을 바탕으로 비인기 종목이라는 인식이 아내들에게 자극이 되어 긍정적인 이미지 변화를 위한 노력이 이루어지고 있었다. 운동선수와 복싱에 대해 누구보다 장단점을 잘 알고 있었으며, 면담에 나오지는 않았지만, 협회 운영, 운동선수 생활과 같은 운동 세계에 대한 아내들의 확고한 생각을 듣기도 하였다. 이러한 사고를 바탕으로 복싱선수 아내는 주변 지인들에게 복싱을 긍정적으로 알리는 모습을 볼 수 있다.

"신랑이 자부심이 있어서 저도 자부심이 있어요. 잘은 모르지만 조금 알아요. 자주 이야기 해줘요. 중량 빼는 거나. 저도 물어보고. 항상 집에 와서 그런 이야기를 많이 해요. 남들이 뭐라고 해도 남편이 복싱을 좋아하고 저도 큰돈은 못 벌더라도 계속해서 복싱 관련 일을 했으면 좋겠어요. 요즘 복싱이 상승세를 타고 있다던데, 다이어트나 근데 복싱은 정말 살 많이 빠져요. 복싱만큼 힘든 운동 없다니까요? (중략)…. 운동을 해야겠다는 생각이 들면 복싱부터 해볼까? 하는 생각도 하게 되고, 주변에 운동 이야기가 나오면 복싱하라고 추천도 해줘요. 제가 이야기를 잘하지 못해도 남편이 복싱선수니깐 쉽게 받아들이더라고요."

"솔직히 복싱을 아예 몰랐고 처음에는 안 좋게 생각해요. 복싱은 때리는 거잖아요. 그니깐 일반 사람들 저 같은 사람들이 봤을 때는 운동하다가 남편이 언제 다칠지 모르잖아요. 그런. 무서움?? 위험하게 하지 말라고 시합 때도 훈련 때도 이야기 많이 해요. 몸조심하라고. 본인은 운동선수니깐 잘 아니깐 알아서 조절하니깐 옛날처럼 피 터지게 안 해도 되니깐 복싱이라 하면은 옛날에 권투 그

TV에서 피 터지고 죽고 그 생각밖에 안 들었어요. 하지만 남편한 테 들어보면 복싱도 할 만한 운동이래요"

"연봉도 어느 정도 되고 살 빼는 게 힘들어서 그렇겠지만, 이제 는 잘 알죠. 복싱이 배고프기만 하고 힘들기만 한 운동이 아니라는 걸. 그래서 부모님께도 말씀드려요. 남편만 힘들지 않다면 할 만한 직업이라고. 친구들 관심사도 되고, 복싱에 대해서나 운동선수에 관해서 이야기하면 재미있어해요. 굳이 안 좋은 말을 해서 남편 이 미지 복싱 이미지 깎을 필요 없잖아요. 그래도 제 남편이 하는 건 데"

"복싱선수랑 결혼해서 듣는 이야기가 있어요. 다들 남편이 하 는 일이 평범하지 않아서 들은 이야기라고 생각하고, 어떻게 복싱 선수랑 만났는지, 결혼은 어떻게 하게 되었는지, 물론 복싱체육관 에서 복싱 때문에 만나서 결혼했다는 사람도 있는데 저는 남편이 먼저 다가왔는데 그때 복싱선수인지 몰랐죠. 나중에 복싱선수인 걸 알았을 때 더욱 호감이 생겼고, 주위에선 걱정했어요. 운동선수는 너무 단순한 게 아니냐고"

복싱 선수에게 '어떻게 복싱을 시작했는지'라고 물어볼 수 있듯이 아내들에게도 '어떻게 복싱선수랑 결혼했는지'에 대한 질문을 많이 받았다고 이야기한다. 아내들은 자신이 좋아하 는 사람이 복싱해서 복싱선수랑 결혼한 것이지, 복싱선수라 서 좋아하고 결혼한 것은 아니라고 이야기한다. '복싱'이라는 이미지로 인해 평범한 남편이 아닌 특별한 사람이 되어버렸 다. 남편 이야기보다 복싱에 관한 이야기가 먼저 나올 때도 있고, 복싱이라는 종목이 갖는 부정적인 이미지로 인해 결혼생활 또한 부정적으로 볼 수 있다는 점에서, 이러한 상황을 잘 대처하는 아내들이 곧 복싱을 긍정적으로 변화시키는 역할의 중심에 있음을 알 수 있다.

복싱이 과거 인기 있는 대중스포츠로 다시 거듭나기 위해서는 무엇보다 현장에 있는 사람들의 노력과 헌신이 바탕이 되어야 할 것이다. 스포츠에 관한 관심과 참여는 시대의 흐름 속에 계속해서 변화해 가는 건 분명하다. 복싱인으로서 복싱의 부흥은 무엇보다 절실히 바라는 바이다. 이 책을 읽고 있는 독자도 복싱에 대한 긍정적인 관심과 참여로 이어지기를 바란다. SNS 이용이 활발하게 이루어지는 상황에서 SNS 이용 중인 독자라면, 복싱 참여는 물론이며, 이 책을 비롯해 복싱이 관련된 정보와 내용에 많은 관심과 좋아요! 를 눌러주기를 바란다.

내가 할 수 있는 일은 복싱선수 아내들과 같이 복싱의 긍정적인 이미지를 계속해서 알려가는 것은 물론이며, 선수 출신으로 선배의 역할과 후배의 역할을 충실히 완수하는 것이 중요하다고 생각한다. 복싱을 위한 연구를 비롯해 책을 발간하는 것도 내가 할 수 있는 역할이다. 생활체육 복싱 참여를 통해 스트레스 해소는 물론이며, 다이어트 효과까지! 삶의 질 향상을 만들어 가길 바란다.

#복싱하자 #건강하자 #다이어트하자 #복싱부흥

#복싱참여 #추천하자 #나복결 #나는복싱선수와결혼했다

#나는복싱한다 #복싱하는남자 #복싱하는여자 #복싱존멋

5. 가정교사

복싱선수 아내의 가정교사 역할은 복싱선수 가정에서 남편에게 다양한 교육이 이루어지고 있음을 이야기한다. 아내의 교육은 집안일 혹은 생활방식을 공유하고 외국어 공부, 컴퓨터, 자격증과 같이 남편의 부족한 학업에 대한 부분을 포괄하고 있었다. 여기서 교육은 남편이 지금껏 알지 못했거나 하지 못했던 것을, 아내를 통해서 직, 간접적인 학습이 이루어지는 것을 의미한다. 복싱선수 아내의 가정교사 역할 배경으로 오랜 기간 운동에만 전념해 온 학생 선수의 학습권 부재와 합숙 생활에 맞춰져 있는 생활방식을 바꾸어가는 것으로 볼 수 있다.

　나의 학생 선수 시절을 잠깐 소개하면, 고등학교 입학과 동시에 새벽 6시에 훈련을 시작하고 아침 식사 후 오전 정규과정의 수업을 받는다. 이도 시합이 없을 때 수업을 받지만, 1년에 4~6번 시합을 나가게 되면 거의 수업을 받지 못한다. 수업에 들어가더라도 새벽 훈련으로 인해 졸린 눈으로 수업에 집중하기는 쉬운 일이 아니다. 더구나 운동선수들이 모인 교실이 때로는 훈련장이 되거나 선수 대기실과 같은 휴식 공간이 되기도 한다. 정규수업이 끝나면 점심 식사 후 전공 훈련을 시작하게 된다. 전공 훈련이 끝나고 저녁 식사 후 야간 훈련으로 일과가 마무리된다. 특히 내가 입학했을 때 복싱부 1기로써 훈련은 상상 그 이상이었다.

2003년 체육고등학교 복싱부 일과

시간 / 구분	학교생활	
	시합 시즌	비시즌
5시 40분	기상	기상
6시~7시	새벽 훈련	새벽 훈련
9시	휴식	정규수업
10시~11시	훈련	
14시 30분 ~ 17시 30분	전공 훈련	전공 훈련
20시~21시	야간 훈련	야간 훈련
총 훈련시간 6시간~7시간(시합 시즌)		

나의 선수 시절과 비교해 현재의 생활환경과 운동 패턴이 달라진 건 사실이지만, 운동선수 학습권에 관한 문제는 여전히 발생하고 있다. 학생 선수의 학업에 대한 수동적 태도는 물론, 학업 병행의 사각지대 또한 존재함으로써 운동선수의 학업 병행은 현실적으로 한계에 직면해 있다. 학생 선수의 사각지대는 조금 더 학술적인 연구를 통해 문제를 검토하고 해결책을 마련해야 할 것이다.

기본적인 교육과정에 참여하지 못한 운동선수들은 학업 즉, 배움과 거리가 멀다. 나와 다르게 학업과 운동을 병행하는 선수도 많이 있을 것이다. 나의 경우는 대학 입학 후 조금 학업에 관심을 가졌지만, 학업보다는 운동과 휴식이 먼저라는 습관을 바꾸기란 쉽지 않았다. 나의 '학생 선수 의사결정' 연구에 따르면 합숙 생활을 하는 운동선수의 의사결정은 자기 주도적인 결정보다 동료 및 부모와 같은 주변 환경에 의한 의사결정이 이루어지는 것으로 나타났다. 즉, 학업 병행이란 의사결정을 내릴 때 주변의 영향을 많이 받으므로 강한 동기가 없는 상황에서 운동선수 스스로 학업을 병행하기란 쉬운 일이 아니다. 대학 입학 후 내가 공부를 시작한다고 했을 때 주변의 반응은 '다음 올림픽에서 금메달을 따겠다'라는 의미로 받아들였다. 즉, 운동선수가 공부한다는 것은 말도 안 되는 이야기이다.

생에 전반에 걸쳐 운동선수들의 생활은 대회 일정과 기술 및 체력 향상을 위해 많은 시간을 투자한다. 체력을 키우고,

체중을 감량하고, 기술을 연마하면서 학업과 병행하려면 지도자를 비롯해 주변의 적극적인 도움을 바탕으로 이루어져야 한다. 결국, 많은 시간이 흘러 결혼 후에 아내의 적극적인 지원을 통해 다양한 학습이 이루어짐을 알 수 있었다.

복싱선수의 학습이 이루어지는 시기는 크게 시즌과 비시즌으로 나누어 볼 수 있다. 세부적으로는 시합 전과 시합 후로 구분해서 볼 때 시합이 끝난 이후 아내를 통해 가정에서 다양한 학습이 이루어지고 있음을 알 수 있다.

"평소에는 술을 잘 못 마시잖아요, 훈련 때문에. 그래서 시합만 끝나면 (술을) 엄청나게 마셔요. 술 안 마시는 날은 컴퓨터 공부나 이것저것 선수들이 평소에 배우지 못한 것에 대해 알려주기도 해요. 가장 중요한 부분으로 설거지 빨래. 빨래는 세탁기 돌리고 너는 것은 잘하는데, 설거지도 못 하고, 혼자서 밥을 못 차려 먹고 꼭 시켜 먹더라고요. 그래서 설거지하고 밥 차려 먹는 것도 알려 줬어요."

"선수들끼리 내기도 좋아하고, 현금 도박. 한게임. 고스톱 홀라. 등등 그런 거 하는데 저는 생활에 지장 없게 그냥 좀 여유 있을 때 이따금 놀고 적당히 해야 하는데. (중략)…. 다른 거에 취미를 못 붙이는 것도 있고…. 다 이해는 해요. 그래도 곧 아기가 태어나니 금전적인 문제가 생길 거고, 조금씩 잔소리를 해야죠, 말 안 듣는 건 알지만 어쩌겠어요. 아기가 있으니깐 정신 차리겠죠. 아빠가 되기 위한 준비라든지, 하다못해 음식이나 집안일을 가르쳐야겠다는 생각도 했어요"

"집에서 컴퓨터나 영어를 조금씩 공부하라고 이야기했지만, 의

자에 앉아서 10분을 못 버티더라고요. 차라리 아르바이트하겠다고 하면서. (중략)…. 머리는 좋은 거 같은데, 기본적인 영어나, 컴퓨터를 다룰 수 있으면 좋겠다는?? 어쩌겠어요. 남편이 하고 싶어야 하는 거고, 지금까지 안 한 것을 갑자기 하라고 하면…."

대부분 복싱선수는 훈련이나 시합이 끝난 후 가족이 아닌 직장동료들과 많은 시간을 보낸다. 위의 면담은 복싱선수의 민낯을 드러내는 부끄러운 모습이기도 하다. 평균적으로 운동선수들은 대학 졸업과 동시에 실업팀에서 연봉을 받으며 운동을 하게 된다. 많은 선수가 자기관리를 잘하지만, 그렇지 못한 선수들로 인해 부정적인 소문과 인식을 접하게 된다. 나 또한, 비슷한 나이의 또래들보다 평균 이상의 월급을 받으면서 돈과 시간을 낭비했던 경험에서 충분히 이해가 가는 부분이기도 하다.

당시 연구를 진행하는 과정에서 운동선수의 부정적인 부분을 드러내지 않으려고 면담을 최소한으로 인용하기 위해 고심했던 기억이 있다. 아내가 운동선수인 남편을 보았을 때 부족한 부분이 보일 수 있다. 운동선수 학업에 대한 부정적인 이야기는 물론이고 복싱선수 아내는 남편의 부족한 부분을 채워주기 위한 '가정교사'의 역할수행으로 남편과 충돌하는 모습도 볼 수 있었다.

서두에 운동선수의 삶을 서술하면서 "공부를 하지 못한 변명을 늘어놓은 것이 아닐까?" 하는 생각을 해보았다. 시간이 지난 지금에서 다시 과거로 돌아간다면 공부를 열심히 하겠다고 생각하지만, 막상 그 시절로 돌아간다면 쉽게 선택하지 못할 것이다. 지금이라도 늦지 않았다. 내가 말하는 공부란 학교에서 배우는 것만이 공부가 아니라는 것이다. 생계를 유지하기 위해 많은 시간을 소비하면서 공부를 위한 시간을 갖기란 여간 어려운 일이 아닐 것이다. 운동과 공부의 병행, 일과 공부의 병행, 평생 배우며 살아간다는 생각은 삶의 가치와 질을 확실히 높여 줄 것이다.

복싱선수의 잉여시간 가치를 높여라.

자본주의 사회에서의 자본이란 무엇인가? 마르크스에 따르면 자본은 잉여가치를 획득하고자 '돈(money)'을 생산과정에 사용한다. 잉여가치 생산과정에 투입된 돈이 바로 자본이다. 다시 말해 내가 생산한 돈을 다시 새로운 가치를 생산하기 위해 다시 투자한다는 것이다. 복싱선수를 비롯해 운동선수는 전문적 특수한 직업으로, 복싱 기술이 바탕이 되어 경기력을 통해 생산되는 승부의 가치를 돈으로 보상받게 된다. 이렇게 벌어들인 자본을 다시 나머지 시간에 투자하여 새로운 가치를 생산해야 한다는 것이다.

중복된 내용이지만, 복싱선수의 공부는 미래 및 은퇴 준비와 밀접하게 관련 있으며, 선수 스스로가 생산해 내는 새로운 가치의 결과물은 다양하게 나타날 수 있다. 대부분 복싱선수는 월급을 모아 부동산에 투자하거나, 크고 작은 사업

밑천으로 사용한다. 이런 경우는 그나마 다행이지만, 도박이나 유흥에 낭비하는 선수들도 적지 않다. 내가 말하고자 하는 바는 바로 '잉여 시간'의 가치 부여다. 시간의 가치는 그 무엇보다 값진 것이다. 그러한 잉여 시간을 잘 활용하도록 돕는 것이 바로 아내들의 '가정교사'의 역할이라고 볼 수 있다. 즉, 복싱선수로 경제활동을 하고 있다면, 잉여 시간을 다시 재분배하여 새로운 가치를 생산하는 과정으로 이어지길 바란다.

6. 미래 설계사

복싱선수 아내의 '미래 설계사' 역할은 '가정교사' 역할의 연장선이라고 볼 수 있다. '가정교사'의 역할은 운동선수인 남편을 대상으로 하며, 미래 설계사는 '가족'을 목표로 한다. 복싱선수 가족의 삶을 풍요롭고 질적 향상을 달성하는 데 필요한 부분이 바로 '안정된 미래'의 준비이다. 운동선수는 오랫동안 운동에만 전념해 온 것은 누구나 다 아는 사실이다. 운동선수가 운동에 전념하는 것은 세계적인 선수가 되기 위한 것은 물론이며, 신체적 정신적 건강을 겸비할 수 있는 반면에 '은퇴'라는 가장 큰 문제가 기다리고 있다. 은퇴 이후의 삶에서 다른 일을 새롭게 배우고 시작해야 한다. 이와 같은 은퇴 문제는 모든 직업군에 해당하는 부분이다. 운동선수의 은퇴는 일반인과 비교해 볼 때 평균적으로 이른 시기인 20~30대에 이루어진다. 은퇴의 원인으로 볼 때 부상 및 경쟁 구도에서 좌절하는 등 개인의 심리적, 환경적, 다양한 요인을 들 수 있다.

은퇴 이후 전공을 살려 복싱을 지도 하거나 혹은 스포츠와 관련된 사업을 진행할 수도 있고, 전공과 전혀 상관없는 다른 직업을 선택할 수도 있다. 그렇지 못한 경우 방황하는 모습도 볼 수 있다. 은퇴 문제를 선수 스스로가 전적으로 책임을 져야 하는 상황에서 이는 곧 복싱선수 부부의 문제로 이어지고 있었다.

앞서 언급하였듯이 '가정교사'의 경우는 선수를 위한 부분으로 볼 수 있다면, 미래 설계는 남편과 아내 즉, 부부에게 해당하는 부분이다. 아내들이 가장 걱정하는 것은 경제적인 문제다. 운동선수를 직업으로 하는 경우 젊은 나이에 많은 연봉을 받게 되지만 이는 최소 1년 최대 4년까지 평균 2년을 기준으로 재계약을 하게 된다. 재계약을 하는 기준은 당연히 경기성과이다. 복싱선수의 성과는 매년 열리는 전국체육대회와 국가대표 선발이 대표적이다. 국가대표 선발이 된다는 것은 당연히 전국체육대회에서 상위권 입상을 의미하기 때문에, 가장 많은 연봉을 받는다고 볼 수 있다. 개인종목으로 복싱의 경우 16개 시도에서 입상 확률이 높다고 볼 수 있다. 이는 축구와 같은 구기 종목에 비하면 높은 비중이지만, 그들만의 리그에서 정상급 선수로 경제적 안정을 유지하기란 쉽지 않다는 것이다. 나의 선수 시절과 비교해 보면 현재 복싱 실업팀의 연봉은 과거보다 많이 상승하였고, 특히 올림픽에 여자 선수의 참가가 확대되어 기존의 남성만큼 높은 연봉을 받으며 운동을 하고 있다.

복싱선수는 열심히 훈련하고 흘린 땀과 보람을 실업팀에서 보상받거나, 국가대표가 되어 국위 선양하는 것이 아닐까. 이러한 운동선수의 삶에 대해 복싱선수 아내들도 잘 알고 있었으며, 미래를 위해 항상 남편과 함께 의논하고 있음을 알 수 있었다.

"계획이요? 정신없이 살림하고 있는데 아직 모르겠어요. 남편 직장 문제나 제 직장 문제나 경제적으로 여유롭지 못하니깐. 요즘 다 맞벌이하잖아요. 그래서 저도 빨리 일을 시작하고 싶은데 생각처럼 잘 안되네요. 남편이 계속 운동할 수 있는 나이도 아니고. 적금을 들거나 계획 같은 걸 세울 여유가 없어요. 남편이 일을 벌여

놓은 게 있어서 이자 갚는데 월급의 반 이상을 써버리니깐. (중략)…. 그래도 어쩌겠어요. 양가 부모님을 통해서 준비해야죠. 도움을 받을 수 있다면 다행인데 그게 안 된다면 걱정만 할 수 있는 게 아니니깐 방안을 찾고 준비해야죠(남편이랑 함께)."

"우선 남편이랑 상의 해봤을 때 최대한 운동선수를 할 수 있는 만큼 노력하기로 했어요. 저도 일을 시작해서 먼저 안정적인 집을 마련하기 위해 다방면으로 알아보고 있어요. 다른 구기 종목 같은 경우 많은 연봉을 받는다고 들었는데 막상 들여다보면 A급 선수만 그렇지 모두 비슷한 상황이죠. (중략)…. 쉽지는 않겠지만, 자격증을 딴다거나 복싱체육관 운영을 한다든지, 준비해야죠. 복싱선수를 그만두면…. 아직 젊으니까 준비를 잘해야죠."

"앞으로 남은 생(삶)을 생각해 본다면 아직 할 일이 많다고 생각해요. 운동선수로 성공하는 것은 국제대회에서 올림픽이나 아시안게임에서 메달을 따는 건데, 그것도 다른 종목을 보면 반짝! 하고 끝나버리니깐, 나중에 자식들한테는 자랑스럽겠지만, 실질적인 우리(부부)의 삶에선 운동을 통해 경제적으로 안정된 직장을 다니거나, 큰 보상을 받는 게 가장 중요한 게 아니겠어요. (중략)…. 결국 은퇴 준비를 생각할 수밖에 없죠. 제가 안정적인 직장이 있다면 남편이 원하는 일을 할 수 있게 도와주겠지만, 여자로 이 사회를 살기도 쉽지 않은 일이잖아요"

복싱선수도 당연히 은퇴 후 미래를 위한 계획과 준비가 필요하다는 것은 알고 있다. 현실적으로 안정된 직장을 구하고 경제적 안정을 찾기란 현대 사회를 살아가는 우리 모두의 걱정일 것이다. 은퇴의 문제를 모든 부부가 함께 고민하는지 알 수 없지만, 복싱선수 아내들은 남편의 은퇴와 관련해서 함께 걱정하고 준비하는 모습을 볼 수 있다.

　복싱선수 아내들은 젊은 나이에 결혼하여 경제활동 및 취업을 준비하는 아내도 있었으며, 출산 혹은 개인 사정으로 경제활동을 못 하는 아내들도 있었다. 이와 같은 상황에서 아내들은 자신을 비롯해 가족의 미래를 위해 다양한 계획과 준비를 진행하고 있었으며, 그 바탕에는 남편의 은퇴 및 직장에 대한 걱정도 볼 수 있었다. 가족의 미래를 설계하는 데 필요한 것은 서로에 대한 이해와 배려는 필수일 것이다. 가장으로서 책임감을 바탕으로 은퇴 후 경제활동을 계획해야 한다. 가족의 상황에 따라 다르겠지만, 미래 설계는 충분한 시간과 여유를 바탕으로 준비가 필요하다.

복싱 실업팀 선택과 은퇴를 위한 준비는 어떻게 해야 하는가?

　나를 비롯해 모든 엘리트 운동선수가 미래에 대한 고민을 안고 있지만, 어떻게 방향을 정하거나 준비해야 하는지 모르는 경우가 보통이다. 경제적으로 여유가 된다면 크게 걱정할 일이 없을 테지만, 한국 사회에서 자수성가하거나 새로운 일과 사업을 시작해 성공하기란 쉬운 일이 아니라는 것은 누구나 알고 있다. 운동선수의 삶을 살고 있다면, 현재 실업팀 선택과 유지, 그리고 은퇴를 신중히 생각해야 한다.

　먼저 실업팀 선택이 관련된 정보를 전달하고자 한다. 나는

'실업 복싱팀 지도자와 선수의 상호역할에 대한 기대 연구'를 진행하였다. 연구 내용은, 구두 계약(계약문제), 실업팀 선택 시 고려 사항을 담고 있다. 한때 복싱 실업팀은 구두 계약에 대한 문제가 빈번했지만, 현재는 선수가 구두 계약을 이용하는 경우가 발생하고 있으며, 팀과 선수의 구두 계약 문제는 선수들이 연봉에 따라 쉽게 움직이는 부분으로 설명될 수 있다. 장기간 운동선수로 경제활동을 위해서는 실업팀 선택이 중요하다고 볼 수 있다. 실업팀 선택에 있어 지도자의 지도 스타일(선수 자신의 복싱 스타일 비교), 훈련 환경, 팀 구성원 등과 같이 고려할 사항들이 있다. 무엇보다 가장 중요한 점은 고된 훈련과 자기관리를 묵묵히 해가는 것이다. 자기관리가 철저한 사람은 오랫동안 선수로 활동하는 모습을 볼 수 있다. 내가 말하는 자기관리란 다들 인지하고 있는 부분이지만, 다시 한번 상기하는 차원에서 전달하고자 한다. 자기관리는 부상, 체중, 기술 향상을 비롯해 주변 환경(지인, 친구), 정서적 안정, 생활 습관(술, 담배, 도박, 게임) 등과 같이 선수 스스로 절제와 관리가 병행되어야 할 것이다.

다음은 자기관리를 바탕으로 한 은퇴 준비이다. 복싱선수의 미래를 언급하기에는 나의 정보력이나 능력으로는 턱없이 부족하다. 운동선수 은퇴 및 진로코칭과 관련된 연구와 프로그램을 개발 중이며, 효과검증의 시간이 필요한 상황이다. 앞서 복싱선수 아내의 가정교사 역할의 도움을 바탕으로 선수 스스로가 잉여 시간을 통해 은퇴를 위한 준비를 시작해야 한다. 은퇴 준비는 진로 적성검사를 받아보거나, 자격증 취득을 위한 공부, 혹은 사업을 위한 준비 등과 같이 선수 시절부터 은퇴 준비가 함께 이루어져야 한다. 계속해서 직업의 변화가 일어나고 있는 상황은 운동선수가 은퇴를 준비하는데 더욱 어려운 환경으로 직업 선택의 폭이 좁아지고 있다. 새로운 직업을 위한 노력은 물론, 자산을 재투자하거나 안정적인 경제활동을 위해 다양한 접근과 노력이 필요할 것이다. 나 또한, 경제적 안정을 위해 지속해서 다양한 노력을 하고 있다. 이렇듯 가장 기본적으로 정부 및 지방에서 제공하는 다양한 제도 및 정책을 활용하는 것이다. 그뿐만 아니라 대한체육회에서 진행하는 'e진로지원센터'를 통해서도 은퇴 준비를 할 수 있다. 이처럼 운동선수 스스로 자신의 역량을 강화하며, 아내와 함께 미래를 설계해 나가길 바란다.

7. 아내의 경제활동

결혼생활을 유지하는 데 있어 가장 중요한 것은 경제력일 것이다. 과거 부부의 역할에서 경제력을 담당하는 것은 남편의 몫이다. 남성들이 육아와 가사 노동에 적극적으로 참여하지 않고 여성들이 전담하는 전통적 성 역할과 가족 규범에 변화가 오지 않는다면, 한국의 맞벌이 부부는 일과 가정을 양립하기 어렵고, 여성 고용 촉진과 출산율 제고 역시 불가능할 것이다.57) 그동안 가사와 육아를 주로 담당하였던 여성이 경제활동을 하게 되면서, 외부적으로 가사와 육아를 대체하는 방법을 생각할 수 있겠지만, 그것이 불가능하다면 부부가 서로 분담해야 할 수밖에 없는 상황이다.58)

현대에 와서는 남녀평등이라는 인식으로 부부의 역할이 평등해지고 있으며, 맞벌이 부부가 증가하고 있다. 부부의 역할이 평등해지고 여성의 사회 진출이 높아지는 가운데 여성은 결혼과 출산으로 잃게 되는 직장을 지키기 위해 결혼과 출산을 꺼리는 현상을 볼 수 있다. 국내 여성의 경제활동 참가는 서구 국가들에 비해 낮은 수준이기는 하지만, 여성의 경제활동 참가율이 지속해서 상승하는 모습을 보였다. 최근 70~80% 수준에서 등락을 보인 남성의 경제활동 참가율과 비교하면, 1970년 39.3%에 불과했던 여성의 경제활동 참가율은 2015년 51.8%까지 상승하였다.59) 복싱선수 아내의 경우 직업을 가지고 경제활동을 하더라도, 육아 및 가사 분담으로 마찰이 생기는 등 그 또한 쉬운 일이 아닐 것이다.

57) 유계숙, 2010
58) 조성호, 2015
59) 우해봉, 장인수, 2017

　　"지금 제가 아무것도 못 하잖아요. 일하고 싶어도 아기가 많이 어리니깐. 어린이집 갈 정도 되면 거기 맡기고 일하러 가죠. 어차피 제가 일해서 버는 돈이나 아기를 어린이집 보내는 돈이 똑같아요. 근데 집에만 있으면 답답하니깐 나가서 활동하려고 하는 거죠. 보통 보면 여자들이 나가서 일하면 2백, 3백 이렇게 못 벌잖아요. 그래서 남편들은 그렇게 못 벌겠으면 집에서 애나 보라고, 그러니깐 제가 나가서 버는 돈이 아기 어린이집 보내는 돈으로 다 나가버리니깐. (중략)…. 근데 아내는 그게 아니죠. 집에서 아기만 보고 있으면 답답하고 사람이 아무것도 하기 싫고 무기력해지니깐, 나가서 번 돈이 어린이집에 다 들어가더라도 나가서 사람들 만나고 이야기도 하고, 항상 활기차고 항상 웃고 사람들 만나고 즐거우니깐 좋은 거죠."

　　"아기가 크면 나가서 일하고 싶어요. 너무 답답해서. 시댁이나 친정에서 아기만 봐준다고 한다면 당장 일을 하고 싶어요. 현재는 남편한테 경제적인 부분에서 하나도 도움이 안 되고 있어요. 아기가 또 생기니깐 눈치도 보이고. 제가 번 돈이 아니니깐. 제가 하고 싶고 사고 싶은 것도 못 하게 되고. 아기 것은 이야기하고 사는데. 남편이 눈치는 안 주는데 눈치를 보게 되더라고요. 제가 일해서 번 돈이 아녀서. 돈 때문에 많이 싸웠어요. (중략)… 특히나 남편이 씀씀이가 너무 커서 문제에요."

복싱선수 부부의 역할에서 가장 큰 화두로 볼 수 있는 것은 바깥일 VS 집안일이다. 예로부터 남자를 바깥사람이라고 부르고 여성을 안사람이라고 부르듯이, 남성은 경제활동을 여성은 가사(家事)를 도맡아 왔다. 시대 흐름에 따라 과거 전통적인 성 역할에서 아내는 집안일을 중심으로 생활을 해왔다면, 현재는 자기 자신에게 많은 시간을 투자하는 자유로운 형태의 경제활동을 볼 수 있다.

여성이 경제활동 및 사회로 진출하는 현상의 원인은 다양하게 찾아볼 수 있지만, 같은 경제활동이라도 심리적 안정감을 찾기 위한 경제활동과 경제적 안정을 찾기 위한 경제활동은 지극히 다르다. 복싱선수 아내의 경우 갑작스러운 임신과 결혼으로 지금까지 생활하고 있던 지역과 직장을 떠나게 되면서 아내들은 외로움, 답답한 생활에서 벗어날 수 있는 탈출구가 직장(職場)인 것이다. 또 한편으로는 자산을 늘리기 위한 경제활동을 목표로 직장을 선택하게 되는데, 이는 여성으로서 가질 수 있는 직업의 한계와 육아로 인한 경력 단절과 같은 문제에 직면해 경제활동에 어려움을 겪고 있었다.

부부의 가사 및 육아 분담에 관한 국제적 사항을 살펴보면 프랑스의 육아 분담률은 대체로 남녀 평등한 분담이 이루어지고 있는 반면에, 독일의 육아 분담률은 아내의 부담이 크다고 할 수 있다. 반면 동아시아 국가 중 중국은 아내의 가사 육아 분담률이 매우 낮으며, 여성의 경제활동 및 정부 관료의 여성 비율은 높다.[60] 한국의 경우 남성의 협력을 받는 여성의 가사 노동시간이 협력받지 못하는 여성들의 가사 노동시간보다 더 높게 나타났다. 이는 여성이 이중 노동 부담으로부터 남성의 협력을 통해 해방된다기보다는 억압과 더 큰 억압 사이에서 고통을 받고 있음을 의미한다.[61]

결혼 후 부부는 행복한 결혼생활이라는 목표를 달성하기 위해 가장 기본적으로 충족이 필요한 여가와 경제적 자원의 확보일 것이다. 경제적 자원을 확보하기 위한 역할수행 과정에서 충돌이 일어나는 것이 현실이다. 나는 여성의 역할과 남성의 역할 그리고 부부의 역할과 같이 사회의 규범적인 역할 기준을 최소한으로 정립이 필요하다고 생각한다. 나의 '여성 복싱심판에 대한 연구'는 한국 사회에서 이미 'sexuality'와 'gender'가 여성과 남성을 구분하고 차별하는 기준으로 작용하고 있는 상황으로 나타났다.

다시 정리해서 사회적, 문화적으로 형성된 역할과 생물학적으로 수행할 수 있는 역할을 최소한으로 구분하여 서로 간의 역할 충돌을 줄이는 것이 필요하다고 생각한다. 이러한 부분을 차별의 시선이 아닌 서로 '인정'하는 것이다. 남성은

---

60) 조성호, 2015
61) 주익현, 2012

출산할 수 없고, 여성은 남성의 생리학적 힘의 차이를 극복할 수가 없다. 가장 쉬운 예로 여성 복싱선수와 남성 복싱선수가 경기한다면 공평한 것인가? 이처럼 같은 직업이라도 남성과 여성을 구분하여 역할을 제시하는 부분이 필요하다. 이러한 최소한의 기준이 옳은 것인지는 모른다. 하지만, 이같이 역할을 구분하는 것은 무엇보다 남녀의 차별과 같은 논쟁이 줄어들었으면 하는 바람이다.

복싱선수 부부의 삶은 경제활동의 역할수행에 초점이 맞추어져 있다고 볼 수 있으며, 단순히 집 안과 밖의 일로 구분지어 역할을 결정하는 부분에서 많은 문제점이 나타난다고 볼 수 있다. 과학의 발달로 새롭게 생겨나고 사라지는 직업과 사회 속 젠더(gender)의 역할은 계속해서 변화해 갈 것이다. 부부의 역할을 결정할 때 최소한 부분으로 서로에 대한 이해와 배려는 물론이며 현실을 잘 살펴서 결정해야 할 것이다.

결혼과 역할 충돌

최근 젠더 갈등이 깊어지고 차별 속의 역차별이 발생하고 있는 현대 사회에서 성 역할 충돌은 앞으로도 계속해서 일어날 것이다. 특히나 결혼 후 부여되는 역할은 더욱 명확해지는데, 과거 한국 사회의 가부장제로 남자는 바깥사람, 여자는 안사람과 같은 인식은 여성의 사회 진출을 저해하는 요인으로 작용하였다. 사회주의 페미니즘은 성 역할을 단순히 남성과 여성의 문화적 신념이나 역할수행의 기대가 아니라, 여성이 수행하는 정서적·육체적인 일을 둘러싼 자본주의 및 가부장주의라는 이데올로기로 본다. 남성과 여성이 사회에 요구하는 권리의 기준을 남녀의 기준이 아닌 사회에서 통용되고 보편적인 기준으로 삼아야 한다. 이 기준을 정립하는 과정에서 발생하는 충돌이 젠더 갈등이며, 우리 사회는 다양한 젠더 갈등이 야기되고 있다. 그중 결혼으로 인해 역할 충돌이 젠더 갈등으로 나타나고 결국 비혼을 선언하고 출산을 하지 않는 것이다. 특히 여성의 인권 및 권리를 보장받기 위한 인식변화와 목소리를 내고 있다. 종합해 보면 가족 내 여성의 역할은 가부장제와 자본주의에 따라 조직되기도 하지만 가부장적인 젠더 관계 및 계급 관계를 재생산하는 등, 가부

장제 및 자본주의와 영향을 주고받는 상호적 관계에 있게 된
다.[62]

내가 연구한 '여성 복싱심판 연구'에서 나타난 결과로 여성
이 사회 진출과 경제적 활동 과정에서 유리천장과 같은 한계
를 돌파하기 위해 계속해서 노력하고 있다는 점이다. 사회적
인 현상(한계) 및 인식(차별)에 맞서 개인의 능력과 힘을 길
러 차별과 한계에 대응하고 극복해 가는 것이 중요하다고 생
각한다. 비록 긴 시간이 걸리고 크고 작은 어려움에 직면하
겠지만, 그것을 극복하는 것이 진정한 여성의 권리를 찾는,
느리지만 가장 빠른 길이 아닐지 생각해 본다.

8. 부부의 성(性)생활

"부부의 성생활은 지속적인 노력이 필요하다."

결혼 전 연인의 성관계는 서로의 사랑을 확인하고 쾌락을
목적으로 두었다면 결혼 후 부부가 갖는 성적인 상호교류는
정서적 심리적인 안정을 가져다주며 가족을 형성하는 데 필
요한 행위이다. 또한, 긍정적인 부부관계를 유지하기 위해서
성에 관한 지식도 필요할 것이다. 한국 부부의 성관계에 관

---

62) 문지선, 2017

한 연구 결과를 살펴보자.

구분	남편	부인	나이가 어릴수록
성생활 만족도	낮음	높음	높음
성생활 비중	높음	낮음	높음

함인희(2004). 한국 부부의 성관계

함인희[63]의 연구 결과를 살펴보면 부부간의 성생활 만족도, 성생활 비중, 부부관계의 만족도 사이에는 밀접한 긍정적 상관관계를 볼 수 있으며, 성생활은 부부관계의 질에 의미 있는 영향을 미친다고 볼 수 있다.

부부의 결혼생활 만족도와 성관계는 개인의 차이에 따라 다르게 나타날 수도 있으며, 만족도 또한 달라질 수 있을 것이다. 복싱선수 부부의 성관계는 조금 더 절제되고 제한된 모습을 볼 수 있다. 그러한 모습 속에서 복싱선수의 시합이나 훈련 시 외도에 관한 아내의 걱정은 감출 수가 없었다.

　"예전이나 지금이나 크게 다른 건 없는데요, 시합 전에는 관계를 안 했어요. 컨디션이랑 체력같이 기를 빼앗긴다고 시합 전후로 잘 안 만나고 만나도 당일만 만났어요. (중략)…. 시합이나 훈련 가면 못 믿죠. 근데 남편이기 전에 남자인데 여자도 똑같을 거예요. 저라고 왜 안 하고 싶겠어요. (중략)…. (부부 성관계를) 분명 중요한 부분으로 생각하지만, 육아나 집안일 하다 보면 더욱 뜸해지기도 하겠죠. 그런 이야기를 많이 듣기도 했어요."

　"아무리 남편이 가만히 있어도 여자가 홀딱 벗고 덤벼들면 누

---

63) 함인희 2004

가 안 넘어가겠어요. 다만… 다만… 걸리면 죽는다는 거죠. 솔직히 제가 모른척한 적도 있어요. 충분히 이해한다고 생각했는데, 생각보다 그게 쉽게 잘 안되더라고요. 결혼 전 어떻게 노는지 알고 있어서 더욱 신경이 쓰이지만, 그렇다고 구속하고 불잡아 두면 더 몰래 그렇게 할 건데 (중략)…. 빨리 아기를 가져야겠다는 생각에 노력했는데 (중략)….저야 머 어쩔 수 없죠. 참아야죠. 결혼 전에는 남자친구들 만나서 놀고 그랬는데 결혼하고 나서는 연락해도 재미없고. 전혀 그런 게 없어진 거죠. 연락한다 해도 만나지도 못하는데."

아내들은 남편의 컨디션과 시합을 위해 성관계를 조절하고 있었다. 또한, 남편의 잦은 합숙훈련과 시합으로 인해 외도에 대한 문제를 인식하고 있지만, 아내가 어찌할 수 없는 상황에서 남편을 믿음으로 감싸안아야만 했을 것이다.

남편의 약 20%, 아내의 약 13%는 혼외 관계에 대해 허용

적인 태도는 중요한 이혼 사유가 되기도 한다.64) 혼외 관계는 분명 발생해서는 안 되며 사회적으로나 개인적으로 통제하기란 쉬운 일이 아니다. 혼외 관계의 원인을 찾아 개선하기에는 다양한 요인과 변수들이 존재하기 때문에 남편의 외도에 대한 아내의 걱정은 어찌 보면 당연한 일이라고 생각한다.

성은 인생 전반에 걸쳐 꾸준히 발달하고 이성과 감성적인 교류에 있어서 필수 불가결한 요소이다. 성의 통제와 조절은 이성과 인격적인 만남의 초석이 될 수 있으며 즐거움의 수단이며, 결혼해서는 자녀의 출산 통로가 되기도 한다.65) 연인과 부부의 성 통제와 개선은 외부의 도움을 받을 수도 있지만, 무엇보다 부부 스스로가 개선을 위한 노력이 필요하다고 볼 수 있다.

> "결혼 전부터 저희는 만날 수 있는 시간이 주말밖에 없었어요. 저도 직장을 다니고 있었고 남편도 주말에 외박을 받으니깐. 주말밖에 (성)관계를 못 하죠. 그렇다고 주말마다 할 수 있는 게 아니에요. 남편은 주말에 회포를 푼다고 술을 엄청나게 마시고 그냥 혼자 자버리고. (중략)…. 결혼해서는 연애 때보다는 자주 관계를 하게 되는데 아직은 서로 성관계에 관한 대화를 나누거나 서로 불평하는 일은 없었어요. 남편이 좀 더 적극적이긴 한데. 한 달에 2~3번? 결혼하고 나서 좀 더 자주 관계를 하게 되었어요. (중략)…. 처음에는 말도 탈도 많았어요. 타이밍이라는 게 제가 되는 날에는 남편이 안 되고 남편이 되는 날에는 제가 안 되고, 거기에 은근히 스트레스를

---

64) 함인희, 2004
65) 미래가족 연구회, 2011

받는 느낌이었어요. 남편은 아니라고 하는데, 본인의 기준에서만 생각하니, 한편으로는 서운하기도 하고."

"결혼생활에 성관계가 대부분 60~70% 차지하는 거 같아요. 여자들끼리 모이면 이야기를 해요. 속궁합이 맞아야 결혼생활이 조금 더 괜찮을 거라고 (중략)…. 저는 결혼 전과 결혼 후랑 똑같이 대화해요. 싫고 좋고가 분명하게 있으니, 그렇게 대화하면 결론은 좋은 쪽으로 계속 찾아가게 되더라고요."

좋은 성생활이 훌륭한 부부생활을 촉진하는지 또는 좋은 결혼생활이 훌륭한 성생활을 촉진하는지를 확인하기는 어렵다. 그러나 부부의 친밀성이 성적 즐거움을 유도하며, 이것이 부부간의 만족을 증가시키는 것으로 추측해 볼 수 있다.[66] 또한, 개방적인 의사소통이 부부의 성(性) 만족에도 영향을 미치는 것[67]을 알 수 있듯이, 성생활은 부부관계의 질에 의미 있는 영향을 미친다고 볼 수 있다.[68] 즉, 행복한 결혼생활을 위해 성관계는 중요한 요인으로 작용하며, 이는 대화를 통해 긍정적인 방향으로 만들어 갈 수 있는 것이다.

미국 스포츠과학 프로그램에서 복싱선수의 성관계가 체력에 미치는 영향에 관한 연구를 진행한 적이 있다. 성관계를 하기 전 체력 측정과 성관계 후 체력 측정에서 큰 변화가 없다는 것으로 나타났다. 오히려 특정한 부분의 수치가 올라갔

66) 김시업, 2006
67) 김영기 외, 2011
68) 함인희, 2004

던 기억이 난다. 중요한 점은 성관계가 경기력 및 체력에 밀접한 영향이 있다고 볼 수는 없지만, 과도한 음주·가무로 인해 충분한 휴식이 부족하게 되면 분명 경기력에 영향을 미칠 것이다. 특히나 시합 준비 기간 절제된 생활에서 시합이 끝난 뒤 운동선수들은 필요 이상으로 몸을 혹사하는 경우를 종종 볼 수 있다. 먹지 못했던 음식 및 술을 마시는 등 시합 후 회포를 푸는 과정에서 건강 및 다양한 문제들이 일어난다. 이러한 부분은 결혼 후 조금 달라지는 모습을 볼 수 있으나, 부부관계와 같은 새로운 문제가 나타난다고 볼 수 있다.

운동선수의 잦은 시합 출전과 전지훈련은 부부 사이를 떨어뜨려 놓게 된다. 젊은 부부의 경우 성(性)적 해결과 만족

에 한계를 볼 수 있는데, 이러한 부분은 젠더 갈등과 같이 나가 다루기에 너무 부담스러운 주제이다. 함인희[69]의 연구에 따르면, 사랑을 전제로 하는 혼전 관계에 대한 부부간의 동의는 높게 나타났으며, 혼전 순결 이데올로기의 약화에 따른 성교육 확대, 미혼모 등 결혼과 분리된 출산에 대한 정책의 획기적 전환 등이 필요한 것으로 나타났다.

복싱선수 아내가 걱정하는 외도에 대한 부분은 남편 또는 아내에게 공통으로 나타날 수 있다. 혼전 관계는 지난 과거의 일로 충분히 이해하고 동의할 수 있지만, 혼외정사에 대해서는 그 누구도 자유롭지 못한 것은 사실이다. 무엇보다 중요한 점은 결혼 전/후 성(性)과 관련되어 나타나는 다양한 문제점들을 놓고 보았을 때 남녀 모두 성에 대한 올바른 인식변화가 가장 크게 필요하다고 사료된다. 결혼 전 사랑은 성(性)관계로 직결되지만, 결혼 후 사랑만으로 성관계가 유지된다고 볼 수 없을 것이다. 부부의 성(性) 만족은 결혼생활에 중요한 부분이며, 다양한 변수들이 부부의 관계에 작용하게 된다. 결혼 전/후, 출산 전/후, 부부의 내적 갈등, 개인의 심리 및 신체 변화 등과 같이 복합적인 부분을 고려하여 긍정적인 관계 유지를 위한 대화의 노력이 지속해서 이루어져야 한다.

---

[69] 함인희, 2004

PART⁵. 행복한 결혼생활을 위하여

　복싱선수 가족을 연구하고, 책 발간을 준비하면서, 나름대로 결혼에 대한 정의와 계획을 세울 수 있었다. 이 책을 통해 오늘보다 더 나은 방향으로 나아가길 바라는 마음으로 얕은 소견을 정리해 보았다. 이는 연구자의 관점이 아닌 지극히 주관적인 개인의 생각을 자유롭게 풀어보았다.

⁂ 사랑하는 사람이 있다면 한 번쯤은 최고의 사랑꾼이 되어보자.
　최고의 사랑꾼이란 연인에게 사랑의 열정을 마음껏 쏟아보는 것이다. 불나방과 같이 사랑에 목숨을 걸어보는 것도 충

분히 가치 있는 일이라고 생각한다. 이 과정에서 아픔, 슬픔, 기쁨 등과 같이 다양한 감정을 경험할 수 있으며, 이러한 경험을 통해 사랑이란 것을 몸소 알아갈 수 있을 것이다. 우리가 살아가면서 수많은 사람을 만나고 헤어진다. 더욱이 사랑하는 사람과의 헤어짐은 감당하기 어려운 슬픔과 아픔이 있을 수 있다. 사랑을 하고 있다면, 아름답고 즐거운 추억을 많이 만들어야 한다. 이별 후 시간을 보내고 있다면, 앞으로 다가올 사랑은 과거보다 더욱더 행복한 사람을 만들어 가면 된다.

아직 자기 연인을 찾고 있는 과정이라면, 자신에게 가장 잘 어울리는 훌륭한 사람을 반드시 만날 수 있다는 확신을 바탕으로 첫눈에 반해서 한평생 함께 살아가겠다는 영화 같은 사랑도 꿈꾸어 보자. 중요한 부분으로 확신이란 용기이며 자신감이다. 혹여나 자신감의 근거를 찾는 과정에서 스스로 자존감을 낮출 필요는 없다. 근거 없는 자신감이 용기다. 현대 사회에서 용기 있는 사람이 미인을 얻는다는 말이 아직 통용되는지 알 순 없지만, 나의 경험으로 보아 실현 가능성은 충분히 있다고 생각한다. 다만, 조금 슬픈 이야기지만, 요즘에는 용기만 있어서는 안 된다.

자신이 가진 조건과 상관없이 자신이 가진 모든 것을 쏟아부어 사랑을 해보는 것도 좋은 경험이 될 수 있다고 확신한다. 그러한 사랑은 자신을 더욱 성장시키고 아픔에서 빨리 빠져나올 수 있다. 결혼 후에는 그러한 사랑을 계속 유지하

는 것이다. 이상적인 사랑을 실천하는 행복한 사랑꾼이 되어
보자.

⁂ 연애의 시작은 대화이며, 진심을 담은 대화는 분명히 통한다.

연애를 많이 해본 사람이 연애를 잘한다는 이야기가 있다.
결혼 전 연애를 많이 못 한 걸 후회하는 사람도 있고. 사신
과 잘 맞는 사람을 찾지 못해 연애를 못 한다는 사람도 있
다. 이 모든 것의 본질은 바로 대화이고 표현이다. 연애를
잘하는 사람의 특징은 상대방의 이야기를 잘 듣고 소통이 잘
되는 사람일 것이다. 연애를 많이 해본 사람은 누구와도 편
안한 대화를 할 수 있듯이, 많은 이성과 다양한 대화를 나누
고 소통의 경험을 쌓게 된다면 분명 자신에게 맞는 이성을
알아볼 수 있을 것이다.

처음 이성을 만났을 때 이성적인 대화는 어렵다. 상대를
알아가기 위한 대화는 자칫 오해를 하기 쉽다. 서로에게 잘
보이기 위해 과장과 포장을 하기 때문이다. 서로 다른 가치
관을 가진 사람과의 대화하는 신중하고 상대를 위한 배려가
깊어야 한다. 이러한 존중과 배려는 이성적 사고를 할 수 있
다. 부모와 자식 간에도 의견이 맞지 않아 다투게 된다. 몇
십 년 동안 함께한 부부도 의견충돌은 피할 수 없다. 그러므
로 대화는 상대방의 말을 잘 들어야 하며, 배려와 존중을 항
상 잊어서는 안 된다.

그리고 대화만큼이나 중요한 것이 표현이다. 너무 적극적이고 직설적인 표현은 상대방에게 부담을 줄 수 있지만, 그렇다고 아무런 표현을 하지 않는다면, 상대방 또한 아무런 감정도 느끼지 못할 것이다. 적절한 상황에 맞는 표현과 대화는 성격으로 타고나는 것도 있겠지만, 책을 많이 읽는다거나 상대방의 이야기를 듣고 자신의 의견을 조금씩 전달하는 노력으로 충분히 개선되리라 생각한다. 무엇보다 서로에 대한 감사 표현은 가장 중요하다고 생각한다. 조금만 깊이 생각해 보면 많은 것이 감사하다. 이러한 감사는 익숙해질수록 감사 표현이 어색해지거나 잊히게 된다. 감사하다는 마음이 뇌에 안정적이고 긍정적인 영향을 미친다는 연구 결과를 보았다. 즉, "감사해", "고마워", "사랑해"와 같은 표현으로 나와 상대방을 위해 표현해 보자! 감사합니다. 그리고 사랑합니다.

❖ 결혼 전에 너무 서로의 결점을 찾거나 완벽을 추구하지
말자.

평소 이상형을 "외모보다는 마음과 성격이 중요하다!"라고
말하면서 다른 한편으로는 능력과 인물처럼 이런저런 기준과
잣대로 상대방을 바라보는 게 현실이 아닐까. 앞서 말한 이
상형과같이 젊은 시절에 개인의 다양한 기준과 조건은 서로
를 바라보는 기준이 높을 수도 있고 진정한 모습을 보지 못
할 수도 있다. 그래서 최소한 3번 만나보고 10가지 이상 질
문을 형식적이나마 해보아야 한다.

여자 친구 또는 배우자를 결정할 때 각자의 기준이 있을
것이다. 이 정도면 정말 부족함 없을 거 같던 부분도, 결혼
전에 보이지 않았던 것들이, 결혼 후에는 분명 다소의 결점
이나 단점들이 나타나기 마련이다. 중요한 부분은 행여, 부
족함이 있더라도 상대방의 존재 그 자체를 인정하는 것이며,
연애는 서로의 긍정적인 즐거움과 행복을 성취하기 위함이
다. 이러한 마음으로 연애를 시작하더라도 다툼은 끊이질 않
는다.

지금 이 사람보다 더 나은 사람은 분명히 있다. 상대방의
단점과 부족한 점을 자신이 얼마만큼 채워줄 수 있고 수용할
수 있는지 생각해 보면 된다. '서로 다를 성향이 잘 맞는다',
'비슷한 사람끼리 만난다' 등 '나와 비슷하거나 다르거나',
'나보다 잘났거나 못났거나', 기준은 수없이 많고 다양하다.
상대적인 상대보다는 절대적인 상대를 바라보는 기준이 중요

하다고 생각한다. '결혼은 현실이다.' 미혼일 때 가장 많이 들었던 이야기다. 경제력을 중시하는 결혼 분위기에 가장 현실적인 이야기일 수도 있다. 성격과 경제력이 우리의 삶을 얼마나 행복하게 해줄까? 서로 다른 사람이 만나 관계를 유지하는 것이 우리 인간의 사회이다. 돈은 인간이 삶을 유지하는 데 필요하다. 이미 가진 사람과 갖지 못한 사람의 차별은 분명히 드러나고 있다. 우리 사회에서 정한 수많은 상대적 기준은 우리를 더욱더 불행하게 만들지도 모른다. 상대방이 아닌 나를 바라보고 더욱 훌륭한 사람으로 성장해 가겠다는 마음은 비록 당장은 부족하겠지만, 시간이 지났을 때 남들이 가지지 못한 절대적인 행복을 쟁취할 수 있지 않을까?

⟫ 서로의 의견이 **옳다는** 논쟁보단, 단 하루라도 더 즐거운 추억과 기억을 남겨야 한다.

언젠간 상대방에 대한 콩깍지는 벗겨질 테고 그때 다투어도 늦지 않으니, 서로의 즐거움과 행복만 생각해도 시간이 부족할 것이다. 콩깍지가 벗겨진다는 것은 자신이 상대방을 보는 관점의 변화가 가장 먼저 일어났다는 점과 상대방의 이목을 끌기 위한 행동을 더는 하지 않는다는 것이다.

연애와 결혼의 현실은 시간이 지날수록 서로에게 익숙해지고 과거와 다른 서로의 모습 등으로 불평이 늘어난다. 결국, 서로를 긍정적인 착각으로 인해 보지 못하고 현실의 눈을 뜨게 되면서 자신과 너무나도 다른 상대방을 보게 되고, 그것을 명분으로 충돌이 시작된다. 달라진 상대를 변화시키려는 노력보다는 처음 만난 그 순간의 감정을 상기하며 단 하루라도 더 좋은 추억을 만들기 위한 노력이 필요하다. 시간은 정말 빠르게 흘러간다고 이야기한다. 10년 뒤, 20년 뒤에 어떤 추억과 기억을 떠올릴 것인가? 행복한 원인을 만들어 가야 행복한 결과가 나타난다는 것은 당연한 이치라고 생각한다. 매일 행복할 수는 없겠지만, 그러기 위해 함께 노력해야 한다. 흘러가는 시간에 어떠한 기억과 추억을 남길 것인지 지금, 이 순간 결정되는 만큼 옆에 있는 사람과 행복한 지금을 많이 만들어 가자. 행여 지금껏 많은 추억과 기억을 만들지 못했다 하더라도 임종하는 그날까지 최선을 다하면 된다고 생각한다. 이러한 마음을 서로 가질 수 있다면 천생연분이 아닐지 생각한다.

⋙ 결혼은 성별의 역할을 확립하기 위한 것이 아니며, 서로 사랑하는 사람이 만나 함께 인생을 건설하기 위함이다.

그러므로 결혼은 새로운 시작이라고 볼 수 있다. 훌륭한 배우자를 만나 행복한 결혼과 행복한 인생을 살아가는 사람도 있고, 서로에 대한 안이한 생각이나 행동으로 괴로워하는 사람도 있을 것이다. 인생과 결혼에 있어 다양한 삶과 모습의 존재는 우리가 살아가는 세상 즉, 삶이 아닐까. 그래서 더욱더 나답게 내 가족의 미래를 위해 최선을 다해야 한다.

행복한 가정을 건설하기 위한 각자의 역할은 분명히 있을 것이다. 이와 같은 역할은 객관식이 아닌 주관식으로 무엇이 정답인지는 알 수 없다. 그들만의 역할과 그들만의 방식으로 최선을 다해 책임을 다하는 것이다. 앞서 언급한 사회적 기준과 조건에 영향을 받을 수밖에 없다. 어떠한 인생을 만들어 갈 것인지는 부부가 함께 계획하면 된다. 아파트가 객관적이고 보편적인 삶이라고 한다면 주체적인 삶은 전원주택과 같은 다양한 삶의 모습이라고 볼 수 있다. 무엇이 정답인지는 모른다. 하지만 가장 중요한 것은 아파트가 되었든 전원주택이 되었든, 부부 함께 만들어 간다는 것은 변함없다. 다시 말해 부부가 함께 어떠한 인생을 건설할 것인지 계획하고 역할을 분담하여 만들어 가야 할 것이다.

몸과 마음이 건강한 자신을 만들어야 한다.

행복한 결혼과 인생은 '나'로 시작된다. 무기력한 자신과 건강하지 못한 자신이라면 주위를 둘러볼 여유는 더욱더 부족할 것이다. 현대 사회는 신체적 삶이 무척이나 즐겁고 편안한 가운데 심리적 삶은 다양한 아픔이 가득하다. 즐거운 삶, 행복한 삶을 살아가는 데 필요한 다양한 조건들을 충족시키지 못한 좌절감과 열등감이 우리의 삶을 더욱 불행하게 만드는 것일지도 모른다. 특히나 코로나19와 같이 급격히 확산하는 개인주의는 개인 의지와 상관없이 개인을 고립시켜 간다. 문제는 개인주의가 이기주의로 변질하여 오직 자신만의 이득을 위한 행위로 인해 타인에게 피해를 안겨준다는 것이다. 현대 사회에서 심리적인 문제와 함께 '철학 부재'의 시대에 사는 우리는 건강한 정신으로 무장해야 한다.

정신건강만큼 중요한 것은 바로 신체 건강이며, 앞으로 점점 우리의 신체활동은 감소하게 된다. 심신(心身) 건강의 균형을 유지하기 위해서 신체활동이 중요하다. 신체활동 즉, 운동을 통해 엔도르핀, 세로토닌, 도파민과 같은 호르몬의 분비와 체력 향상을 통해 삶의 즐거움과 신체의 건강을 획득할 수 있다. 심신의 건강을 성취하기 위해서는 부단한 노력이 필요한 만큼 쉽게 얻을 수 있는 게 아니므로 가장 중요하다고 생각한다.

결혼 후 몸과 마음이 건강한 부부는 어려움 및 문제에 직면하더라도 학벌과 상관없이 충분한 지혜를 발휘해 문제를 잘 해결해 갈 것이다. 해결하지 못한 문제가 생기더라도 빠른 시간과 회복력으로 새로운 시작을 할 수 있을 것이다. 심신(心身)의 건강은 회복 탄력성의 양분이 되는 것으로 규칙적인 운동과 마음의 양식을 쌓아가길 바란다.

⇨ 부모님께 효도하며, 예의를 지키는 자신이 되어야 한다.

나의 할아버지께서는 항상 삼강오륜에 대해서 자주 말씀하셨다. 당시 나는 유교 사상으로 옛 어르신의 말씀에 크게 귀를 기울이지 못했던 게 사실이다. 최근 할아버지의 정정했던 모습에서 쇠약해진 모습으로 말씀해 주시는 삼강오륜은 예전과 다르게 가슴으로 받아들이게 되었다.

현대를 살아가는 젊은 청년들은 삼강오륜을 잘 모를 수도 있다. '삼강'은 임금과 신하, 어버이와 자식, 남편과 아내 사이에 마땅히 지켜야 할 도리를 말한다. '오륜'은 "부모는 자녀에게 인자하고 자녀는 부모에게 존경과 섬김을 다하며(父子有親), 임금과 신하의 도리는 의리에 있고(君臣有義), 남편과 아내는 분별 있게 각기 자기의 본분을 다하고(夫婦有別), 어른과 어린이 사이에는 차례와 질서가 있어야 하며(長幼有序), 친구 사이에는 신의를 지켜야 한다(朋友有信)"라는 내용이다. 여기서 가장 중요한 부분으로 '부자유친'(父子有親)이다. 자기 부모에게 존경과 섬김을 다하는 사람은 타인의 부모에게도 같은 모습일 것이나. 결혼은 남녀 둘이 하는 것이 아닌, 집안이 하나가 된다는 점에서 부모에 대한 예의는 정말 중요하다고 생각한다. 최근 결혼 문화와 풍습은 변화하고 있지만, 가족 간의 갈등은 지속해서 일어나고 있다. 이러한 맥락에서의 부모와 자식 간의 모습 즉, 화목한 가족은 결혼 시작에서부터 긍정적인 부분으로 전개된다고 생각한다.

분명 자신의 미래를 결정하는 결혼을 냉정하게 판단하기가 어렵다고 생각한다. 인생의 경험이 부족한 상황에서 이성적인 판단보다는 감성적인 판단을 해서 후회를 낳는 경우가 발생하는 것이다. 판단에 앞서 평소 부모와 사이가 좋다면 자연스러운 대화 속에서 방향을 찾을 수도 있다. 부모의 의견이 절대적으로 옳으며, 무조건 따라야 한다는 것은 아니지만, 이성적인 판단을 위해 필요하다는 것이다.

부모님께 결혼할 배우자를 인사 올릴 때 흔쾌하게 응원을 해주는 경우도 있지만, 그렇지 못한 예도 있을 것이다. 중요한 점은 연애하는 과정에서 긍정적으로 변화된 자신을 보여줌으로써 용기 있는 모습으로 당당하게 말할 수 있어야 한다. 그래도 부모의 반대가 심하다면 최종 결정은 당사자들이 하는 것이기에 반대를 위한 반대가 아닌 신중한 판단과 선택이 중요하다. 꼭 부모가 아니더라도 훌륭한 동료 또는 선·후배에게 진실한 조언을 요청하는 것도 하나의 방법이다. '자식은 부모의 거울이다.'라는 말은 살아가면서 더욱 확신하게 된다. 그러므로 예의가 바른 행동은 신뢰를 만들어 가는 데 가장 중요한 기준이라고 생각한다.

⋯> **결혼은 행복한 인생의 일부이며, 무엇보다 자신을 위한**
　　결혼이다.

　분명 행복한 결혼생활을 위한 여러 가지 요인들이 있지만,
결혼의 행, 불행 기준에 따른 성공한 인생과 실패한 인생은
없다고 생각한다. 또한, 결혼의 성공 여부가 인생의 행, 불행
을 결정지어서도 안 된다고 생각한다. "결혼은 꼭 해야 하는
가? 결혼이 인생의 행복과 불행을 결정짓는가?" 결코, 정답
이 있다고 볼 수 없으며, 무엇이 정답인지 모른다. 사회에서
요구하는 기준과 가족이라는 구성 및 틀에 맞추려고 초조해
할 필요도 없다. 행복한 인생을 살아가는 과정에 있어서 결
혼은 그저 행복을 구성하는 요소 중 하나일 뿐이며, 그 결혼
이 절대적으로 삶의 행복을 결정짓는 기준과 잣대는 아니라
는 것이다. 한편으로는 자신의 잘못된 선택이나 혹은 상대방

으로 인해 결혼생활이 불행해질 수도 있다. 불행에서 탈출하기 위해 쉽게 이혼을 선택하거나, 혹은 이혼이라는 오점을 남기지 않기 위해 그저 시간만 보내며 참고 버티는 것이 흔히 볼 수 있는 우리의 모습이다. 한국 사회는 이제 이혼은 인생의 오점이라고 할 수 없을 정도로 인식이 변하고 있으며, 타인에게 피해를 주지 않는 선에서 자기 행복을 위해 마음껏 나아가면 된다. 그렇다고 결혼과 이혼을 가볍게 생각해서도 안 될 것이다. 그러므로 결혼의 결정과 선택이 무엇보다 중요하며 신중해야 한다.

분명 결혼은 두 사람이 서로의 마음을 확인하고 시작한 것이니, 그렇다면 적어도 서로에 대한 마음의 신뢰는 필수가 아닐까? 서로에 대한 신뢰만큼은 부부가 함께 노력해야 한다. 결혼한 수많은 부부가 항상 행복하고 갈등을 겪지 않을 수는 없다. 부부의 갈등은 행복한 결혼생활과 거리가 멀다고 생각하겠지만, 부부가 경험하는 갈등과 문제를 잘 해결하고 극복하는 게 진짜 행복이 아닐까?

현대 사회에서 혼자 살아가는 건 어렵지 않지만, 그렇다고 쉬운 일도 아니다. 결혼도 쉽지 않지만 그렇게 어려운 일도 아니다. 인생을 살아가는 데 있어 기쁨은 두 배, 슬픔은 반으로 줄이기 위해 오직 나만을 위한 내 편을 선택하는 것이다. 그 대상은 꼭 이성이 아니어도 된다. 반려견 또는 동성일지라도 상관이 없다는 것이다. 내가 생각하는 결혼은 가족의 행복한 인생을 위해 부족한 점을 채워주는 것으로 '너'와

'나'에서 '우리'가 되어 살아가는 것으로 생각한다. 여기서 지양할 것은 상대방을 자신의 기준이나 잣대로 바라보게 되고, 상대방의 행동 즉, 단점에만 주목하는 것이다. 지향할 바는 행복한 인생을 위해 누구와 어떻게 보낼 것인가? 그것이 중요하다고 생각한다.

⇢ 결혼은 누군가를 위한 희생이 따라야 한다는 관점에서 벗어나야 하지 않을까?

과거에 부부는 훌륭한 자녀를 목표로 하여 부모로서의 삶을 살아왔을 것이다. 부모의 행복보다 자녀의 행복이 우선시되어, 희생을 아끼지 않았다. 과거 가난하고 힘들었던 한국 사회가 이만큼 성장하고 발전할 수 있었던 바탕은 부모님 때의 가난을 자식에게 물려주지 않겠다는 마음으로 자식을 위한 부모의 사랑과 희생으로 일구어낸 것으로 생각한다. 이점은 절대 잊어서는 안 된다. 한편으로는 시간이 흘러 자녀가 출가하게 되면 그제야 부모라는 인생에서 자신의 인생을 돌아보게 되는데, 최근 황혼이혼이 늘어나는 이유가 여기에 있다고 생각한다. 과거 부부의 인생을, 자녀를 위해 큰 비중을 두었다면, 나는 부부의 사랑에 60% 자녀의 인생에 40%의 비중이라고 생각한다. 자녀들이 서운할 수도 있겠지만, 자녀에 대한 사랑은 부부의 깊은 사랑에서부터 시작된다고 생각하기 때문에 이해를 바란다. 사랑스러운 부부의 모습을 보고 자란 아이들은 더욱 행복하게 자랄 것이다.

❖ 결혼이란 새로운 여행의 시작이다.

인생이라는 긴 안목으로 바라보았을 때, 혼자만의 여행을
멈추고, 결혼을 통해 새로운 여행을 함께 시작하는 것이다.
아름다운 광경을 함께 보고, 맛있는 음식도 함께 먹고, 수많
은 역경과 다양한 감정을 공유하는 것처럼 여행과 결혼은 비

숫한 점이 많다고 생각한다. 나는 혼자 여행을 많이 다녀본 결과 혼자여서 좋은 점도 있지만, 돌아올 때는 언제나 외로움과 허전함을 감추지 못했다.

여행은 혼자든 함께든 처음에는 누구나 설렘과 기대 가득하지만, 어느 순간 모든 것에 적응이 되고 익숙해진다. 여행을 떠나기 전 철저한 준비와 계획을 세우더라도 분명 예상치 못한 일이 발생하기 마련이다. 그렇다고 돌아가거나 멈추기보다는 새로운 방향으로 함께 극복해 가는 것이 중요하다고 생각한다. 결국, 함께 시작한 여행이 설령 힘이 들고 후회가 남더라도 서로를 끝까지 믿고 신뢰하며 잡은 두 손을 절대 놓지 않는 것이다.

결혼은 기대와 희망이 가득 찬 새로운 시작이다.

에필로그

어릴 적 저는 공부를 멀리하고 부모님 몰래 학원비를 체육 시설에 등록할 만큼 운동을 좋아했습니다. 그렇다고 운동신경이 타고났다거나, 뛰어나게 잘하는 운동도 없습니다. 어릴 적부터 태권도, 합기도, 검도를 거쳐 중학교 2학년 때 친구 따라 복싱을 시작했습니다. 이후 아마추어 복싱대회에서 우승하며 복싱에 매료되었습니다. 고등학교 입학을 앞둔 상황에서 제가 할 수 있는 선택은 단 하나였습니다. 먹여주고, 입혀주고, 재워주고, 운동까지 할 수 있다는 이야기를 듣고 2003년 개교한 대구체육고등학교 복싱부에 지원하게 되었습니다. 고등학교 입학 후 늦게 시작한 엘리트 선수 생활은 지금 생각해 보면 다시는 경험하고 싶지 않은 시절이었습니다.

남들보다 더 열심히! 스스로 부족함을 찾기 일쑤였고, 고등학교 1학년에는 −45kg, 2학년 때 −48kg, 은퇴할 때까지 −49kg을 체급으로 10년 이상 체중감량을 지속했습니다. 훈련에서부터 체중감량까지 중간중간 일탈도 하였지만, 우여곡절 끝에 고등학교 졸업 후 강원도 원주에 있는 상지대학교에 복싱부 특기생으로 진학하였습니다.

2005년 12월 그 당시 프로스펙스 가방에 운동복, 복싱 장비, 책 한 권을 들고 동계 훈련 참석을 위해 원주로 출발 했습니다. 대학 입학 후 1학년으로 전 대회를 휩쓸며 '정상에서자'라는 고등학교 교훈을 실현할 수 있었습니다. 대학교 2학년쯤 눈에 이상을 느껴 검사해 본 결과 상사근 마비라는 판정을 받게 되면서, 은퇴를 걱정하게 되었습니다. 그때부터 조금씩 학업에 관심을 두게 되었고, 대학 졸업 이후 당시 영주시청 감독님의 배려로 실업 복싱선수의 시작과 함께 학자의 길을 걷기 시작했습니다. 당시 막연하게 배우지 못한 것에 열등감을 가지고 대학원에 입학하게 되었습니다.

처음에는 대학원생으로 책상에 앉아 있는 것조차 힘들었고, 대학원에 가서 처음으로 영어 공부를 시작해 그때 배운 영어가 구O학습의 Be 동사였습니다. 워낙 공부와 담을 쌓고 살았던 터라 공부가 좋아서 한다기보다는 깜깜한 저의 미래가 두려워 학업을 이어갔습니다. 그렇게 시간이 지나 이 책의 바탕인 '복싱선수 아내로 살아가기' 주제로 석사를 졸업하였고, 자연스럽게 박사까지 지원하게 되었습니다. 지도교수님의 도움으로 미국학회도 다녀오며, 배움에 즐거움을 알게 되었고, 학업에 조금씩 욕심을 내기 시작했습니다. 책을 많이 읽을 때는 전공 서적을 제외하고 일주일에 2권씩 읽고, 연구실에서 아침 해를 맞이하면서 나름 학자로서의 구색을 갖추고자 했습니다.

아무런 목적도 의미도 없이 시작된 공부는 박사 졸업을 앞두게 되었습니다. 어설프게 시작한 공부의 끝을 보겠다고 박사를 졸업하고 유학을 도전하였지만, 워낙 공부를 하지 못했던 저는 예상대로 최종 합격에서 외국어 실력 부족으로 탈락

하게 되었습니다. 그 당시 깜깜한 제 미래를 실감하면서 인생 최대의 좌절감을 맛보게 되었습니다. 육체적인 고통은 워낙 익숙하게 잘 견뎌냈지만, 보이지 않는 미래를 생각하며, 길을 잃었을 때 그 두려움은 과거와 현재를 통틀어 가장 힘든 시기였습니다. 무작정 유학하러 가겠다는 생각과 유학 실패라는 두려움의 갈림길에서 결국, 현실의 한계와 타협하여 12년 만에 고향인 대구로 내려가게 되었습니다.

30대 후반에 계획했던 복싱체육관 운영은 2018년 32살의 나이에 '엘리트 복싱클럽'을 운영하게 되었습니다. 좌절 가득한 마음으로 시작한 복싱체육관은 주변의 예상과는 다르게 평범하게 잘 유지되었습니다. 체육관에서 합숙하며, 새벽까지 홍보를 지속한 결과 KBS 방송에도 출연하게 되었습니다. 복싱체육관 운영과 함께 대구에서 원주를 오가며 대학 강의와 지속적인 학술연구를 진행하며, 학자로서 최선을 다해 갔습니다. 이후 모교인 대구체육 중, 고등학교에서 후배들을 지도하는 경험도 쌓을 수 있었습니다.

배운 것도, 가진 것도 없이 오직 몸뚱이 하나로 그저 흙수저라고 자처하며 막연한 성공이라는 목표만 보며 열심히 달려왔습니다. 법을 위반하지 않고 타인에게 피해 주지 않는 선에서 하고 싶은 건 어떻게든 목표를 세우고, 계획한 일들을 하나씩 성취해 왔습니다. 코로나19가 종식되면, 다시 새해를 맞이하기 위한 여행을 시작하고, 새로운 주제의 책, 학술연구 활동 등 개인적으로 아직 많은 부족함을 가득 느끼며 새로운 도전을 계획 중입니다.

이 책을 준비할 때는 미혼이었습니다. 이제는 기혼이 되어 제가 생각하고 그려왔던 결혼을, 인생을 만들어 가고 있습니다. 결혼해 보면 안다고 했던 사실들이 실제로 맞는 부분도 있었고 그렇지 않은 부분도 있었습니다. 앞으로 어떤 일이 일어날지도 모릅니다. 하지만 다시 한번 이 책을 읽어 가면서 결의하고 실천해 갈 생각입니다. 끝으로 이 책이 완벽하길 바라는 마음에 수십 번씩 읽어 가며 수정의 과정을 거쳤지만, 한없이 부족한 점은 무한한 이해와 배려를 부탁드립니다.

부록

1. 연구 목적

여러 스포츠 종목 가운데 복싱을 선택하게 된 이유로, 엘리트 선수 출신의 복싱 전공자로서 복싱선수의 삶과 문화를 가장 잘 이해할 수 있으며, 그러한 복싱선수의 이야기를 진실하게 끌어냄과 동시에 복싱선수 아내의 삶을 객관적으로 이해하고 복싱선수 가족의 행복을 바라는 마음이 가득 담겨 있다고 볼 수 있다.

연구 목적의 출발은 가정을 이룬 복싱선수의 아내가 결혼 후 가정을 꾸려가면서 겪게 되는 삶의 의미를 살펴보는 것이었다. 이를 위해 복싱선수 아내들에게 "복싱선수를 어떻게 만나게 되었는가?", "복싱선수와의 삶에서 어떤 어려움과 갈등을 겪으면서 살아가는가?"라는 질문에서 시작한다. 일반 사람들이 운동선수를 만나서 살아간다는 것에 대해서 "인기 있는 운동선수를 만나는 게 부러워!", "연봉을 많이 받아서 좋을 거야!"라는 등 운동선수 아내의 표면적인 부분에만 집중하여 운동선수 아내의 삶을 평가하는 때도 있을 것이다.

이렇듯 운동선수 아내로서 살아가는 한 사람의 삶을 더욱 사실적으로 드러내고 운동선수 아내의 삶에 대한 이해는 그 의미가 깊다. 복싱선수 아내가 쉽게 들어내지 못하는 이면에 감추어진 감정, 생각, 느낌, 동기, 신념 등을 심층적으로 작성하는 것은 물론이며, 운동선수와 가정의 의미를 더욱 쉽게 접할 수 있을 것이다. 더불어 복싱선수의 아내로 살아가는 데 있어 나타나는 현상과 아내가 결혼생활을 영위하는 경험을 재현한 이야기를 해석하고 심층적으로 기술하고자 하였다.

2. 연구 방법

석사 논문 '복싱선수 아내로 살아가기'를 연구하기 위해 복싱선수 가정에서 아내의 삶을 심층적으로 분석하고자 인간 행동의 이 면에 있는 관념, 느낌, 동기, 신념 등을 심층적으로 이해하는데 사용되는 질적 연구방법(qualitative method)을 채택하였다.[70] 보통 사회과학연구의 경우는 설문지를 통한 연구가 익숙할 것이다. 질적 연구 자료에는 참여자들의 목소리, 연구자의 성찰, 연구 문제에 대한 복합적인 기술과 해석이 포함되며, 그것들은 이론적 토대의 확장이나 특정 행위(행동)의 수행을 요구하게 된다.[71] 즉, 질적 연구는 1:1

---

70) 김은미, 2004

면담을 통해 한 인생의 상세한 이야기나 생활 경험 또는 소수 개인의 생활을 포착하는데 가장 적합하다.[72] 현재 시점에서 개인이 이야기하는 과거의 생활 경험을 말하는 것이기 때문에 과거 경험에 대한 의미 부여이며 또한, 개인의 회상을 통해 말하여진다는 점에서 인생에 대한 연구자의 주관적인 의미 부여이며 주관적 해석이 포함된다고 하겠다.[73] 연구자는 연구 참여자의 경험에 직접 접근할 수 없어 이야기, 텍스트, 상호작용, 해석 등 경험의 재현을 통해 다루게 된다.

1) 연구 참여자

본 연구의 참여자는 복싱선수의 아내만을 대상으로 하였으며, 국내 실업 아마추어 복싱선수의 아내 3명, 은퇴한 선수의 아내 2명을 대상으로 선정하였다. 은퇴한 선수의 경우에는 은퇴 전 선수와의 결혼, 또는 연애 경험이 최소 3년 이상인 아내를 참여자로 선정하였다. 연구 참여자 5명을 선정하는 과정에는 연구자의 의도를 바탕으로 실업 선수들을 선정하고 복싱 관련 지인들에게 추천받아 선정하였다.

한편, 본 연구의 연구 참여자로 실업 복싱선수의 아내를 선정한 이유는 다음과 같다. 연구자는 실업 선수 아내를 가

---

71) 73) Creswell, 2011
74) 차영숙, 외 2006

장 접근하기가 용이하고 연구를 수행하는 데 있어 관련자의 도움을 더욱 쉽게 요청할 수 있기 때문이다. 연구 참여자들에게 연구에 필요한 자료를 제공하는 데 있어 적극적으로 참여할 수 있도록 도움을 주었으며, 연구자도 친근하고 친절한 자세로 참여자들이 편안한 마음으로 자료를 제공할 수 있게 도움을 주었다.

표 2. 연구참여자들의 특성

no	연구참여자	연애 기간	결혼 형태	(직업)	자녀
01	A	9개월	결혼 예정	무	유
02	B	4년	결혼	무	유
03	C	9년	결혼	유	무
04	D	8년	결혼	무	유
05	E	1년 6개월	결혼 예정	무	유

* 연구참여자의 이름은 가명으로 제시하였음

2) 자료수집

본 연구에 사용되는 질적 연구에 있어 자료수집의 방법은 문서 수집(document collection), 관찰(observation), 면담(interview), 현장 조사(field research) 방법이 대표적이며, 본 연구에서는 면담과 문서 수집 등의 방법으로 자료를 수집하였다. 주된 자료수집방법인 심층 면담을 통해 얻은 자료가 주 자료가 될 것이다. 연구자는 운동선수 아내들이 관련된 신문 기사, TV 프로그램, 참고 도서, 관련 논문 등을 보조자료로 활용하였다.

　먼저 복싱선수와 연구 참여자인 아내들에게 연구 주제, 연구 목적 및 연구 절차를 설명한 뒤 면담을 시행하였으며, 면담 내용의 충실도와 신뢰성을 확보하기 위하여 모든 면담 내용을 녹취하였다. 면담 내용을 녹취하여 연구에 중요한 자료로서 인용하였으며, 인용 시에는 개인적 신분이 드러날 세부사항은 배제하고 익명성을 보장할 것과 연구 후 자료를 모두 파기할 것임을 약속할 것이다. 또한, 면담 자료수집 과정에서 연구 참여자가 원한다면 언제든지 연구 참여를 거부할 권리가 있음을 알리고 연구 참여에 대한 구두 동의를 받은 후 면담 하였다.

3) 자료 분석

　첫 번째, 텍스트 자료를 다섯 가지의 줄거리(plot) 구성요소(예를 들면, 인물, 장소, 문제, 행동, 해결)로 분석하는 것이다. 두 번째 접근은 상호작용(개인적/사회적), 연속성(과거, 현재, 미래) 상황(물리적 공간 혹은 화자의 공간)에 대해 분석하는 것이다. 이 방법에 따라 우리는 인터뷰나 대화와 같은 현장 텍스트의 형식에서 개인적 경험을 골라내는 것, 내러티브 요소에 기반한 이야기를 재구성하는 것, 연대기적 결과로 이야기를 재서술하는 것, 참여자의 경험이 있었던 환경이나 장소를 통합하는 것 등과 같은 내러티브 분석의 공통 요소를 알 수 있다.

(1) 영역/분류분석

본 연구에서는 심층 면담을 통하여 녹취된 자료를 전사 처리하여 면담 내용을 반복적으로 정독하면서 자료의 내용 중에서 아내의 삶을 파악할 수 있는 내용을 찾아서 그 내용을 가장 잘 표현할 수 있는 제목을 전사 처리된 자료에 기재하는 방식으로 연구 주제의 영역을 찾아냈다.

이후 '복싱선수 아내가 생각하는 결혼의 의미', '복싱선수 아내가 생각하는 가족의 의미', '복싱선수 아내의 역할'로 분류하였으며, 수집된 자료를 계속하여 정독하고 대강의 분류 체계를 작성하였다.

(2) 논문의 재구성

'복싱선수 아내로 살아가기'라는 논문의 구성을 새롭게 추가 및 수정의 과정을 거쳐 '나는 복싱선수와 결혼했다.'를 완성할 수 있었다. 면담 내용은 일부 수정되었으며, 복싱선수 아내들이 이야기하는 삶의 의미를 이해하기 위해 나의 주변에 있는 결혼한 아내들에게 재차 확인 과정을 거쳐 이해의 깊이를 더해갔다. 면담에 대한 나의 해석은 주관성을 내포하고 있으며, 최대한 과학적인 근거를 바탕으로 내용을 구성하기 위해 노력하였다.

참고문헌

- 강호기(2006). 가족 스포츠 참여 실태와 생활만족도. 한국교원대학교 교육대학원. 석사학위 논문.

- 김건영(2009). 대학생의 결혼관에 영향을 미치는 요인에 관한 연구. 호남대학교 사회복지학과 석사학위 논문.

- 김시업(2006). 결혼과 가정. 서울: 학지사.

- 김영기, 한성열, 한 민(2011). 부부 의사소통 유형과 부부 성만족도의 관계. 한국심리학회, 17권, 2호, 199-218.

- 김은미(2004). 댄스스포츠 참가가 삶의 질에 미치는 효과. 대구대학교 박사학위 논문.

- 김재경(1991). 부부의 갈등과 생활만족도에 관한 연구. 이화여자대학교 석사학위 논문

- 김재운(2012). 다문화 가정 자녀의 스포츠 여가활동을 통한 문화적응. 한국 여가레크리에이션 학회지, 36(1), 16-33.

- 김정옥(2004). 새로보는 결혼과 가족. 서울: 신정.

- 김주영(2005). 생활체육으로서의 복싱 활성화 방안 연구. 경기대학교 교육대학원 석사학위 논문.

- 김지유(2018). 성인남녀의 비혼 유형 관련요인 분석. 박사학위 논문. 성균관대학교 대학원.

- 김한범(2012). 대학축구선수의 부상 경험 과정 및 의미 탐색. 석사학위 논문. 서울대학교 대학원.

- 김혜경(2001). "가족형태에 따른 가정환경(HOME)과 유아의 사회·정서적 발달." 호서대학교 석사학위 논문.

- 권현아(2003). 미국 대통령 부인의 의생활에 관한 연구. 성신여자 대학교 박사학위 논문.

- 김홍설, 김명준(2005). 댄스스포츠 참가가 결혼 만족 및 생활 만족에 미치는 영향. 한국스포츠사회학회지, 18(3), 467-479.

- 남상임(2004). 행복한 결혼생활을 위한 가족복지적 접근, 명지대학교 석사학위 논문.

- 문경실(1995). 남편의 직업만족도와 결혼만족도가 아내의 결혼 만족도에 미치는 영향 -전업주부 부부를 대상으로-. 이화여자대학교 교육대학원 석사학위 논문.

- 문승연(2002). 정신장애인의 결혼생활에 관한 탐색적 연구. 이화여자대학교 석사학위 논문.

- 문정화(2012). 결혼초기 부부문제에 대한 통합적 가족치료 사례개념화 모형 개발 연구. 숭실대학교 박사학위 논문.

- 문지선(2017). 부부의 성역할 태도로 본 기혼여성의 경제활동. 한국사회학, 51(2), 191-232.

- 미래가족연구회(2011). 결혼과 가족. 경기: 양서원.

- 박혜인(2001). 가정생활 상담실을 통해 본 부부갈등 사례 분석. 생활과학연구소. 춘계세미나 발표.

- 박창범(2005). 인라인스케이트 동호인의 사회연결망과 자원교환. 경북대학교대학원. 박사학위 논문.

- 배경문(2018). 엘리트 선수들이 부상과 재활 과정에서 겪는 심리적 경험. 한국체육대학교 대학원, 석사학위 논문.
- 배준성(2000). 가족 스포츠 활동 참여 만족도에 관한 연구. 한국교원대학교 교육대학원, 석사학위 논문.
- 비판사회학(2015). 사회학. -비판적 사회읽기-. 경기: 한울아카데미.
- 서병숙(1998). 결혼과 가족. 서울: 교문사.
- 신화경(1995). 조기출퇴근제 직장인과 부인의 여가형태 및 공간적 요구에 관한연구. 연세대학교 박사학위 논문.
- 서희진(2004). 가족 환경이 청소년 골프선수의 운동선수사회화에 미치는 영향. 한국 사회체육학회지, 22(22), 671-682.
- 안희진(2011). 알코올중독자 아내의 결혼생활 경험. 백석대학교 박사학위 논문.
- 양영순(2009). 남편의 은퇴준비도와 아내의 결혼만족 관계에 관한 연구. 한국가족 복지학.
- 유계숙(2010). 맞벌이 부부의 가사분담이 부인의 일-가족 전이와 결혼생활 만족도에 미치는 영향. 아시아 여성연구, 49권, 1호, 41-69.
- 유계숙, 이수빈(2020). 남녀 대학생의 부부 역할 분담 시나리오가 결혼·출산 의향에 미치는 영향. 한국가족관계학회, 25권, 1호, 3-23.
- 유공순(2008). 기혼여성의 결혼생활 중요도 인식과 결혼생

활 만족. 한국 사회과학연구. 30권, 2호, 191-220.

- 윤택림(2004). 문화와 역사 연구를 위한 질적연구 방법론. 서울: 아르케.

- 우해봉, 장인수(2017). 부부의 사회경제적 특성과 혼인 해체. 한국보건사회연구원, 37권, 3호, 290-317.

- 이강자(2015). 한국 가족영화의 스토리텔링 변화양상에 관한 연구. 석사학위 논문. 안동대학교 대학원.

- 이광희(2000). 결혼의 의미. 공주문화대학 논문집.

- 이기복(2011). 결혼코칭. 서울: 두란노.

- 이기영(1999). 실직자 가정 아내의 노동활동에 관한 연구. 한국 사회복지학회 학술대회 자료집.

- 이미정, 정수연, 양혜린(2017). 성폭력, 가정폭력 남성피해자지원현황 및 정책과제. 한국여성정책연구원. 2017. 1-248.

- 이   상(2019). 새로운 가족형태로서 청년 1인가구의 생활과 가족가치관. 중앙대학교 대학원. 석사학위논문.

- 이상일(2010). 가족 기능 유형에 따른 생활 체육참여자의 여가 만족 및 생활 만족. 한국 여가 레크리에이션 학회지, 34(4), 5-15.

- 이승배(2008) 아마추어 복싱경기의 활성화를 위한 탐색적 연구. 건국대학교 박사학위 논문.

- 이여봉(2010). 부부역할과 여성의 결혼만족도 : 연령범주별 분석. 한국인구학 제33권 제1호, 103-131.

- 이영숙, 박경란(2005). 부부의 갈등대처방법이 부인의 결혼생활적응에 미치는 영향. 하계학술대회.

- 이영주(2010). 중년기 부부의 노후분비도와 노화불안. 한서대학교 국내 석사학위 논문.

- 이유찬(2009). 생활체육 참가자의 결혼만족도와 삶의 질에 관한 연구. 한국 사회체육학회, 37(2), 1535-1547.

- 이정덕, 김경신, 문혜숙, 송현애, 김일명(2003). 결혼과 가족의 이해. 서울: 신정 .

- 이철인(2010). 부부 성역할이 결혼 만족도에 미치는 영향. 대구한의 대학교. 박사학위 논문.

- 이한숙(2008). 청소년의 스포츠 특기, 적성 활동 몰입경험과 가정생활 만족 간의 학업 스트레스 매개모형 연구. 한국여가레크리에이션 학회지, 32(2), 59-70.

- 이홍구, 한태룡(2004). 스포츠사회학 읽기-질적연구 탐색 -. 서울: 무지개사.

- 임경숙(2010). 다문화 가정 여성들의 노후생활 분비의식에 관한 연구. 한양대학교 석사학위 논문.

- 임번장(2010). 스포츠사회학개론. 서울: 레인보우북스

- 임은희(2019). 2000년대 가족멜로드라마에 나타난'젠더'적 가족재현 양상과 감정의 미학. 한국문예비평학회, 61. 97-125.

- 유계숙, 이수빈(2020). 남녀 대학생의 부부 역할 분담 시나리오가 결혼·출산의향에 미치는 영향. 한국가족관계학회,

25권, 1호, 3-23.

- 장우정(2019). 청년 세대의 비혼 원인과 삶의 전략으로서의 개인화. 충북대학교 대학원, 석학위 논문.

- 조성호(2015). 부부의 가사 및 육아 분담에 관한 국제비교 연구. 여성경제연구, 12권, 1호, 163-187.

- 조혜선(2003). 결혼만족도의 결정요인. 한국 사회학 제37집 1호, 91-115.

- 주익현(2012). 한국 맞벌이 부부 가사 시간 결정요인 탐색. 한국사회학회, 1099-1113.

- 정현주(2013). 그래도, 사랑. 서울: 중앙북스.

- 차영숙, 장민정, 곽정인, 강민정(2006). "유아교사로 살아가기"에 대한 교사들의 소리.

- 최미향(2019). 반복적 경력단절에 관한 연구. 한국여성정책연구원. 103권, 4호. 5-29.

- 한주리, 허경호(2004). 아내와 남편의 의사소통 능력, 논쟁성향 및 성격과 결혼만족도의 관계. 한국방송학회. 18(4) 148-190.

- 한국웨딩학회편(2010). 결혼학. 서울: 주상.

- 함인희(2004). 한국 부부의 성관계. 한국사회학회, 93-116.

- 함인희(2012). 한국가족 내 부부간 성관계에 투영된 젠더 격차. 한국여성연구원, 29권, 2호, 175-210.

- 황민혜, 고재홍(2010). 부부간 결혼 가치관 차이, 오해 및

부부갈등 : 의사소통의 역할. 한국심리학회지, 4, 779-800.

- 혼진수(2004). 가족 스포츠 참여와 장애연구. 한국 교원대
  학교 교육대학원 석사학위 논문.

- Faith Roberson Elliot(1993). 가족 사회학. 서울: 을유문화
  사.

- Jaber F. Gubrium, James A. Holstein(1997). 가족이란 무
  엇인가?. 강원도: 하우.

- John W. Creswell(2011). 질적 연구방법론-다섯 가지 접
  근-. 서울: 학지사.

- kenyon, G. S., & Grogg, T, M. (1970). Contemporary
  psychology of sport. Preceedings of the second
  International Congress of Sport Psychology. Chicago, IL:
  The Athletic Institute.